[英] 罗兰·布鲁克　著
李娟　译

马背上的女孩 ❺

破晓

天津教育出版社
TIANJIN EDUCATION PRESS

图书在版编目（CIP）数据

破晓 /（英）布鲁克著；李娟译. —天津：天津教育出版社，2012.4

（马背上的女孩）

ISBN 978-7-5309-6714-0

Ⅰ. ①破… Ⅱ. ①布… ②李… Ⅲ. ①长篇小说—英国—现代 Ⅳ. ①I561.45

中国版本图书馆CIP数据核字（2012）第049949号

版权合同登记号：图字02–2012–53

破　晓

出 版 人	胡振泰
作　　者	［英］罗兰·布鲁克
译　　者	李　娟
监　　制	李　娟 陈禹舟 苗　洪
责任编辑	常　浩
特约编辑	李　娟
版式设计	蒿薇薇
出版发行	天津教育出版社 天津市和平区西康路35号　邮政编码　300051 http：//www.tjeph.com.cn
经　　销	全国新华书店
印　　刷	北京温林源印刷有限公司
版　　次	2012年4月第1版
印　　次	2012年4月第1次印刷
规　　格	32开（750×1120毫米）
字　　数	100千字
印　　张	6.75
书　　号	ISBN 978-7-5309-6714-0
定　　价	19.80元

特别感谢琳达·查普曼！

感谢我在生活中接触到的五匹灰马——它们极大地丰富了我的生活！

人物介绍

艾米·弗莱明	本书的主人公，一个十五岁的少女。
卢·弗莱明	艾米的姐姐。
玛丽恩·弗莱明	艾米和卢的妈妈，赫特兰德马场的主人。
杰克·巴特利特	艾米和卢的外公。
泰·鲍德温	赫特兰德马场十七岁的小伙计。
本·斯蒂尔曼	赫特兰德马场的马厩伙计。
雷·菲利普	梅洛迪的主人。
桑迪	雷·菲利普的妻子。
丽莎·斯蒂尔曼	大型阿拉伯种马场菲尔德的主人。
苏拉娅·马丁	艾米关系最好的闺蜜。
斯科特·特里温	当地的一名兽医，马特的哥哥。
朱迪·斯蒂尔曼	本的妈妈。
蒂姆·弗莱明	艾米和卢的爸爸。
帕梅拉·默里	吉普赛的主人，一位花式骑术骑手。
艾什莉·格兰特	艾米的同学，一个有天赋的骑手。
瓦尔·格兰特	艾什莉·格兰特的妈妈，绿石南马场的主人。

马匹介绍

吉普赛	一匹黑色母马，被送到赫特兰德马场，治愈弓背跃起的毛病。
查理	赫特兰德马场的代养马。
梅洛迪	七岁的赤褐栗色夸特母马，即将生产。
瑞得	本的马，一匹俊俏的栗色马。
穆奇	赫特兰德马场的代养马。
常青藤	赫特兰德马场的代养马。
独奏	赫特兰德马场的代养马。
桑旦斯	一匹鹿皮小马驹，脾气暴躁，但深得艾米喜爱。

前情提要

《意外来客》是《马背上的女孩》的第四本，承接第三本《赫特兰德马场的重生》的故事，赫特兰德马场举办了开放日，大获成功，使得马场多了一位意外来客——马厩伙计本。本的到来，打破了赫特兰德马场原有的平和温馨。他根本不相信自然疗法，对所谓的草药也嗤之以鼻。在他看来，让马匹服从命令，只有一个办法，那就是逼迫，甚至用鞭子抽打。这和赫特兰德马场长期恪守的尊重和理解马匹的原则格格不入。艾米和泰无法忍受本的所作所为，决定辞掉本。但这时，艾米从姐姐卢那里得知了本的身世，无奈之下，她只好同意让本继续留在马场，并说服他相信马场的治疗方法会起作用。艾米和泰之间的误会越来越深，她一度认为泰可能会离开赫特兰德马场。艾米伤心欲绝，不禁对泰恶言相向。当一切似乎无法扭转的时候，本的马——瑞得意外中毒，大家齐心协力救助这匹奄奄一息的马，他们之间的种种矛盾和误会也终于化解了！

第一章

十一月的寒风吹过训练场，艾米的浅棕色头发在风中狂舞，她却没有注意到。她的全部精力都在一匹绕着她慢跑的黑色母马——吉普赛身上。看到吉普赛开始放慢速度，艾米把卷起的绳子往这匹母马的臀部甩去。

“继续！”她催促道。

吉普赛喷了喷鼻息，再次往前冲去，它的马蹄重重踩在潮湿的沙地上，肌肉在它闪亮的皮毛下荡起波纹。艾米在训练场中央移动，让自己的肩膀和马平齐，聚精会神地看着它。

2

吉普赛在训练场上又跑了两圈，内耳轻轻抖了抖，耳尖似乎对准了艾米，接着，它把头和脖子垂向地面，嘴巴一张一合。

艾米识别出了这个信号，这匹母马在以自己的身体语言对她说它想合作。艾米把绳子垂到身侧，不再与它对视，而是用肩膀侧对着它。这时候她要显示她没有威胁，要邀请这匹母马和她联合。

吉普赛放缓脚步，接着停下了。艾米等待着，长久的静默之后，她听到这匹母马朝她靠近，踩踏出沉重的马蹄声。艾米屏住呼吸，吉普赛走到她身边，伸出了柔软的鼻口，触碰着艾米的肩膀。

联合的时刻到了！艾米的心头涌过一阵喜悦，她慢慢转身，揉搓着吉普赛的额头。

联合是艾米从她的妈妈——玛丽恩那里学到的一种技巧。通过马的语言与马交流，可以在人马之间建立起以信任和理解为基础的关系。

在玛丽恩为救助身心遭受伤害的马建立的避难所——

赫特兰德马场里，联合是治疗的第一步。五个月前，妈妈玛丽恩不幸遇难，在此之前，艾米的妈妈在所有送到赫特兰德马场的马身上都使用了联合技巧。

这时，艾米远离吉普赛，在训练场上行走。这匹母马一路跟随。艾米走到哪里，它就跟到哪里。艾米最终停了下来，转向正站在大门边观看的泰。泰是赫特兰德马场的马厩伙计，今年十七岁。

“嗨，你认为怎么样？”艾米冲泰喊道，并把长绳夹到吉普赛的马笼头上。

“它表现不错。”泰说着跨过大门，穿过训练场朝她走去，寒风吹乱了他的一头黑发。“它和刚来的时候大不一样了。”他说着拍了拍这匹黑色的母马。

艾米点了点头。五岁大的吉普赛的主人是一个名叫帕梅拉·默里的花式骑术骑手。这匹马是两个月前被送到赫特兰德马场的，当时它十分紧张，又不肯与人合作，还有个臭毛病，兴奋的时候就弓背跃起，做出一系列螺旋状的动作。艾米和泰一起合作，用精油和花粉来缓解它的紧张，然后通过联合来鼓励它合作。慢慢地，吉普赛放松下来，变得不再那么固执。它已经连续三个星期没有再弓背跃起了，艾米每一次和它联合，过程似乎更快、更顺畅。

艾米看着吉普赛蹭泰的外套衣领。“你认为它做好了回帕梅拉身边的准备了吗？”

泰绿色的眼眸中掠过一丝不赞成的神色。“我说不准。我知道它表现很好，但我还是不敢说它一定不会再弓背。如果它的老毛病再复发，把它的主人扔下马背，那我们就只能回到起点，从头开始了。”

“你说得对，”艾米赞同道，“我也这么觉得。”她冲泰笑了，很高兴他们的想法是一致的。

自从艾米的妈妈在那场交通事故中丧生后，所有关于马的决定都是艾米和泰一起做出的。他们一直相处融洽，除了那可怕的一段时间，艾米以为泰打算离开赫特兰德马场了。艾米知道她欠泰很多。如果没有泰，艾米怀疑赫特兰德马场还能不能继续下去。他帮艾米一起治疗马，而艾米的外公——赫特兰德马场的农场主，则负责照看房子和土地，卢——艾米的姐姐，负责打理生意上的事。

“我今天会给帕梅拉打个电话，”泰说，“跟他解释一下，我们还要让吉普赛在这里多待一段时间。”他打开大门，牵着这匹母马往马厩走去。

当他们经过后排牲口棚时，个子瘦高，金发蓝眼睛的本·斯蒂尔曼——赫特兰德马场新来的马厩伙计，推着一个装满杂物的独轮手推车出现了，看到他们便停了下来。“今天吉普赛怎么样？”

“很好，谢谢。”艾米答道。

“这里的六间马厩我都打扫完了。”本简短地说。“那里的四间，我也打扫完了。”他补充道，朝那排十二间马厩的牲口棚点了点头。

“剩下的我来帮你吧。”泰说。

“我也参加。”艾米说。只有本一个人在劳动，艾米感到有点儿歉疚，“我去安排好吉普赛就来。”

这时，农舍的后门开了，卢走了出来。“早餐准备好了！”她喊道。

6

艾米想起热腾腾的松饼、鸡蛋和火腿在房子里等着他们。“我们可以吃完早餐再来打扫马厩。”她对泰和本快语道，她的肚子都开始咕咕叫了。

冬天的早上，外公总会为赫特兰德马场的每一个人准备一份丰盛的早餐。“来吧，”艾米说，牵着吉普赛往前走去，“我们进屋去吧。”

泰走到她身边，本却依然站在推车旁。艾米扭头朝他望去。“你不来吗，本？”

“我想我还是不了。”本说。

艾米吃惊地停住了脚步。“什么？你不吃外公做的著名早餐了？”

本耸了耸肩。“还有一大堆事情要做，我去继续打扫马厩。”他肯定是看到了艾米吃惊的神情，于是解释道，“老实说，我不介意，但是我真的不饿。”握住推车的把手，他继续穿过院子，往马粪堆走去。“待会儿见。”他喊道。

艾米看着泰。这不是本这周第一次拒绝休息了。

泰扬起了眉毛。“你听到他说了，”他说，“如果他不愿意，我们总不能强迫他。”

“但他这会儿工作太辛苦了。”他们牵着吉普赛继续穿过院子时，艾米说。

“我想我们不该同情他，”泰冷冰冰地说，“你想想他之前是什么德性。”

艾米想起本一个月前刚来到赫特兰德马场时的情形。是他的姨妈丽莎·斯蒂尔曼送他来的，丽莎经营了一家大型种马场，她认为送本到赫特兰德马场来培训对他有好处。起初，他对赫特兰德马场使用的天然疗法持怀疑态度，并不真正用心。然而，自从泰和艾米救了本最喜爱的马——食物中毒的瑞得后，他就开始很努力地学习。

这也努力过度了，艾米心想。“看样子他是真心想努力工作，来弥补他当初的怠慢。”她大声地说，打开了吉普赛的马厩门。

“至少这下活儿能干完了。”泰说。

“泰！”艾米嘴上虽不满，但她对泰的反应并不感到吃惊。从本来到赫特兰德马场的第一天起，泰和本之间的关系就一直很冷淡。尽管本摆正态度后，情况有所好转，但艾米认为泰和本还需要一些时间才能把彼此当朋友。

艾米走出马厩，泰拴上了门闩，他们二人朝饱经风吹日晒的旧农舍走去。他们踢掉靴子，走进了温暖的厨房。刚出炉的新鲜咖啡和自家做的松饼的香气弥漫在空气里。

艾米和外公杰克·巴特利特正站在炉边，翻动着平底锅里松软的炒蛋，他们走进来时，他抬头看了一眼，面容坚毅、饱经风霜的脸拧成了一朵花。“饿了吧？”他笑眯眯地问道。

“这还用问！”艾米咧嘴笑道。

“需不需要我做什么？”泰主动提出帮忙。

“不用了，坐下就好。”外公答道。

卢正在往玻璃杯里倒橙汁，她金黄色的短发略微有点儿上翘，白皙的皮肤被厨房的热气蒸得有点儿发红。“本呢？”她问道。

“还在外面的院子里，”艾米答道，“他想继续工作。”

“我们不能让他这么做。”外公说，淡蓝色的眼眸中露出关切的神情。他将平底锅从炉子上拿下来。“卢，去叫他。”

“别，不要。”艾米赶紧对姐姐说，“他说他不饿。”她知道本有多固执，一旦他下定决心，八匹马也拉不回头。她有一种感觉，如果卢试图去劝说本，只会撞一鼻子灰。

卢不确定地看着外公。

他用一只手耙梳着稀疏的灰发。“那好吧，”他说，“但下周末再不能找借口了。”

艾米端起一盘火腿。“这个可以端出去了吧？”她岔开了话题。

外公点了点头，用铲子将一个鸡蛋铲进了一个浅口盘里。“好吧，”他说，“大家都坐下，看样子可以开动啦。”

半个小时后，餐桌中间的碗碟都被一扫而空，每个人的盘子都被刮得干干净净的。艾米放下咖啡杯，满意地叹了口气。“早餐太好吃了，外公。”她说。

“是的，是您做得最好的一顿。”泰深表赞同。

外公微笑道：“你们喜欢，我就很高兴。”

这时，电话铃响了。“我去接，”卢说着跳站起来，手往电话听筒伸去，“您好，赫特兰德马场，有什么可以帮助您的？”她的声音听起来既轻快又简洁。

一阵静默，艾米看到姐姐的脸上露出担忧的神色。

“我明白了，”卢说，她的声音听起来很严肃，“找不到其他人帮忙吗？菲利普先生？”

艾米朝泰望去。他扬起了眉毛。听起来，电话那头的人需要帮忙救助一匹马。

“好吧，”卢继续道，“您把电话告诉我吧，我会尽快赶过去。”

“是谁？”卢一放下话筒，艾米就迫不及待地问道。

“一个叫雷·菲利普的人。”卢说，“他的妻子最近去世了，他想让我们去接管她饲养在威尔森山峰农场上的一匹怀孕的母马，他不太懂。”

“威尔森山峰？那里很偏僻。”杰克说道。

卢点了点头。“正因为这样，他才想让我们把那匹母马接过来，他不会接生。”

“我们当然要去接过来，”艾米立即说，“是不是，泰？”

泰点了点头。

外公皱起了眉头。“我们的马厩都满了吧。”

“嗯。不过今天中午，查理的主人会过来把它接走，”泰解释道，“我们本打算联系等候名单上的下一位客户，但看样子，这匹母马更需要这间马厩。”

艾米再次转向姐姐。“它怀孕几个月了？”

“十个月。”卢答道。

“就是说它四周内就要生了，”泰计算了一下时间，看起来很担忧，“在它怀孕的最后阶段，长途跋涉不太好。”

“我想菲利普先生也没有别的办法了。”卢说。

“你能给他回个话吗，卢？”艾米说道，“告诉他，我们要立即接它过来。”

“当然。”卢说着拿起电话。

“问他这匹马叫什么名字，多高，是第几胎。”卢按下号码时，艾米迅速补充道。

当卢再次跟雷·菲利普说话时，艾米心急如焚地等待着。

“怎么样？”卢刚放下电话，艾米就问道。

“它叫梅洛迪，”卢看着她刚草草记下的笔记说，“七岁，十五点二手，赤褐栗色夸特马。菲利普先生今天下午送它过来。他答应在我们给它和小马驹重新安家前，所有医疗费和饲料费由他出。”

“我要通知本。”艾米对泰说。她跳站起来，抓起剩下的两个松饼，包进一个餐巾里。“我把这个带给他。”

“需要人帮忙收拾吗？”泰看了看脏兮兮的盘碟问道。

外公摇了摇头。“谢谢，没关系的。你们俩继续去干院子里的活儿吧。”

“我都等不及见到梅洛迪了，”艾米说，她和泰穿上外套和靴子，匆匆走到外面的寒风中，“还有她即将生产的小马驹。”她的妈妈救过几匹怀孕的母马，但迄今为止，还没有一匹小马驹在赫特兰德马场出生过。“将会多有意思啊，”她说，“你能想象那个小东西会有多可爱吗？”

泰扫了她一眼。“要记住，它一到年纪就要给它重新安家。”他警告道。

“我知道。”艾米不耐烦地说。这是赫特兰德马场的一条规定，所有能重新安家的马都要重新安家。只有严格遵守这条规定才能去营救或治疗新的马。但这会儿，艾米不想面对现实，她只想陶醉在一匹小马驹沐浴在春日的阳光下，绕着围场慢跑的美好画面里。

泰看到她的表情，“噢，不，你会爱上它的，对不对？”他呻吟道。

艾米扬起眉毛。“难道你不会？”

“我？才不会呢！”泰说。

艾米咧嘴笑了。她太了解泰了，不会被他的话糊弄。泰会像她一样喜欢新生的小马驹，说不定比她爱得更深！

这时，前排牲口棚其中的一间马厩门开了，本走了出来。“我要把这个好消息告诉他。”艾米对泰说。

她匆匆走过去。“嗨！”她喊道，伸出用餐巾包好的松饼，“带给你吃的。”

本打开餐巾。“谢谢。”他感激地说。

“有个消息要告诉你。”艾米急切地把梅洛迪的事告诉了他，“它午饭后就到，我们打算把它安置到查理的马厩里。”

“太好了，”本说着点了点头，“那我们得在梅洛迪进去之前，把马厩彻底打扫和消毒，水桶要固定在墙上，这样它生产的时候才不会打翻水桶。也不能用干草兜，以防母马或幼崽被缠住。”他把松饼塞进口袋里，往院子里走去。

“你怎么知道这些的？”艾米走到他身边，吃惊地

问道。

本耸了耸宽大的肩膀。“我在姨妈那里时，常有小马驹出生。”

艾米想起丽莎·斯蒂尔曼的种马场和那里军队般训练有素的马厩伙计，还有那现代化的马厩。本的妈妈在和他的父亲痛苦地结束婚姻后，在本十二岁时，就把他送到那里生活了。

他们走到后排马厩。“我去把马厩打扫干净。”本说。

艾米从墙壁上取下查理的马笼头。“好的，我去把它刷洗下。”她说着拍了拍正在马厩门上往外张望的那匹名叫查理的帕洛米诺马。艾米知道它回去后，她会想念它的。查理被送到赫特兰德马场是为了治疗拖车恐惧症，和吉普赛一样，是代养马，它们的主人为了治好它们付了很高的价钱，这意味着，赫特兰德马场有能力去救助那些需要帮助及无家可归的马。

艾米在走廊里把查理系好，开始给它梳洗。

“你还带瑞得去参加两周内要举行的室内比赛吗？”本把地上的麦秸叉到手推车里时，艾米问道。

“是的。”本答道。

本一直都在为比赛勤奋练习，这是瑞得第一次参加高级别预赛。六岁的瑞得这次的参赛名叫“好运”，它极具天赋，艾米知道本梦想它有一天能成为国际赛马。

“你能来看吗？”本问艾米，“比赛在下午举行。如果你愿意来，可以坐我的拖车一起去。”

“我想去。”艾米急切地说，但接着又想起她最好的朋友——苏拉娅·马丁，“如果车子能坐得下的话，我保证苏拉娅也想一起去。”

“当然坐得下，这样太好了。”本点了点头。

艾米暗自窃笑。苏拉娅觉得本很帅，她肯定乐意接受这份邀请。“你妈妈呢？”她问，艾米知道本的妈妈最初也打算来观看比赛，但接着又打电话说她不来了。“她还是不打算来？”

本朝马厩里望去，艾米看到他的脸绷紧着。“自从她取消约定后，我们就再也没有通过电话。”他简短地说。

艾米皱起了眉头。“怎么会这样？”

“我为什么要给打给她？”本气恼地回答道，“她根本就不在乎我。”

“本！”艾米喊道，“她是你妈妈，她当然在乎你。”

“你错了，我妈妈关心的只是做一名野心勃勃的律师。”本说，他的声音突然变得苦涩起来，“她一直都是这样。我住在丽莎那里的时候，她总是太忙，无暇顾及我。”

“什么？她从来没有来看过你？”艾米吃惊地问道。

“噢，起初她来过，”本说，“但之后来的次数就越来越少。”他摇了摇头，“我告诉过你，她根本不在乎我。”

艾米皱了皱眉，她不相信，本的姨妈跟她们讲过本的过去，从中看不出他的妈妈对事业比对他更上心。“不会那么糟糕的。”艾米反驳道。

本凝视她良久。“你怎么会知道是怎么样的，艾米？

你不会明白的。”他猛转身，用短促、剧烈的动作往麦秸中叉。

艾米盯着他绷紧的后背，然后愤然转身，开始梳理查理的尾巴。

他怎么敢说我不懂，她气愤地想。至少他妈妈还活着，没有抛弃他，至少没有完全抛弃。不像我爸爸那样。

想起父亲，艾米不禁怒火中烧。艾米的父亲是一名国际赛马选手，十二年前，他和他的赛马遭遇了一场可怕的意外，这场事故结束了他的赛马生涯。他一时间无法面对现实，离开了玛丽恩，把艾米和卢都扔给她独自抚养。她们自此后再也没有听到他的消息。艾米当时只有三岁。

但艾米显然忘记了妈妈死后，她和卢发现的一封来自英格兰的信，是她们的父亲写的。五年前，他寄来这封信，恳求复合。艾米不知道她的妈妈回复了没有，但这封信没有带来任何改变。

就在这时，本从马厩里走了出来。“听我说，”他开口道，尴尬地晃动着脚，“对不起。我没有权利对你那样大声嚷嚷，只不过那对我来说是个敏感的话题。”

艾米看到本的眼神中有真心的歉意，于是怒火渐消。“没……没关系，”她说。“嘿，听我说，午饭后你想去骑马吗？”她问道，突然很想和他和好如初，“桑旦斯需要锻炼，但我们一定要保证在两点钟之前回来，那时梅洛迪会到。”

“好的，”本感激地说，“就这么说定了。”

外面的小路上寒风阵阵，但桑旦斯和瑞得似乎都不介意。他们沿着通往柚木山的小路慢跑，葱郁的山坡在赫特兰德马场后面陡峭升起。本似乎忘记了上午发生的激烈争论，这让艾米很开心。

本随意地聊着比赛和他给瑞得设定的远大计划。他心情好的时候，跟他在一起还蛮有趣的，艾米想。她只希望能让他高兴点。

他们正好赶在两点前回到了赫特兰德马场。“噢，瞧，斯科特来了。”艾米看到兽医那辆破破烂烂的吉普车停在车道上说。

院子里没有看到斯科特的影子，艾米把桑旦斯送回马厩，走到房子里，看到斯科特正在厨房和卢聊得火热。

“嘿，”斯科特扭头看到艾米，打了声招呼，“卢给我打过电话，说有匹母马要到。我想，等它到后，我最好给它做个全身检查。”他冲卢咧嘴笑了，“无论如何，想到这里来，这是最好的借口。”

卢的脸刷地红了，迅速朝水槽边走去。

看到她素来镇定的姐姐一时失态，艾米偷偷笑了。卢和斯科特最近才开始约会。

“我想梅洛迪到了，”卢大声说，“我去找外公，他在楼上。”

艾米从厨房窗户往外望去，一辆旧拖车正往斯科特的吉普车旁边停靠。她赶紧走出门外。

一个六十多岁的高个子男人从小汽车里走出来，头发差不多掉光了，肩膀耷拉着。

艾米走过去打招呼：“嗨，我是艾米 · 弗莱明。”

“雷·菲利普，”男人慢吞吞地说，“我把这匹母马梅洛迪送来了。”

他用淡淡的神情打量四周，双眼闪烁着心不在焉的光芒，好像有点儿魂不守舍。

这时，外公、卢和斯科特从房子里出来了。

“这位是菲利普先生。”艾米对外公说。

外公和他握了握手，迅速把其他两位做了介绍。

“谢谢你们同意接受梅洛迪，”雷·菲利普说，“如果你们拒绝了，我真不知道该怎么办，情况有点儿紧急。”他望着杰克，眼神几近无助，“您结婚了吗，巴特利特先生？”

艾米看到外公下巴上的一块肌肉跳了跳。“我妻子得了癌症，二十多年前就过世了。”他答道。

雷·菲利普摇了摇头，“对不起。”

“那是很久以前的事了，”外公静静地说，“现在好多了。”

雷·菲利普盯着地面，好像陷入了沉思。

23

过了一会儿，卢清了清喉咙。“我想我们该把梅洛迪牵出来。”她打破了沉默。

“桑迪——我妻子——非常爱它，”雷·菲利普说，他叹了口气，抬起头，“不知为何，我感到把梅洛迪送到这里是对她的背叛。”

“您所做的是正确的，也是您妻子盼望的，”卢柔声说，“我们会好好照顾它的，菲利普先生。”

拖车壁上传来烦躁不安的马蹄声，打断了他们的谈话。

斯科特朝斜板走去。“它在路上还好吗？”他问道。

“偶尔踢两脚，”雷·菲利普答道，“它向来紧张，自从怀孕后更是如此。桑迪和我独自生活，梅洛迪一直住在我们的农场。”

“好的，”斯科特开始解斜板上的插销，“我们放它出来。”

泰和本从院子里走来。“我来帮你。”泰主动提出，匆匆走过来帮助斯科特。

“您想让我替您把它牵出来吗？”艾米问雷·菲利普。

他迟疑了一会儿才回答道：“我不知道，我想最好还是我来，我说不准它对走进拖车里的陌生人会做出什么反应。”他从侧门走进车厢里。一声吃惊的闷哼传来，接着是马蹄朝一边躲闪的窸窣声。“放松。”艾米听到菲利普用紧张的声音说。

艾米走到门边，谨慎地朝里张望。她只能看到一个抬得高高的栗色脑袋，惊恐的眼睛睁得大大的，耳朵警惕地竖起。

“没关系。”她情不自禁地小声说，走近了。

这匹受惊的马好像没有听到她的话，浑身发抖。

“好吧，我们把斜板放下来，”斯科特喊道，“只要好生稳妥地把它牵出来就行了，菲利普先生。”

梅洛迪突然向后闪。雷·菲利普吃惊地大喊一声，绳子从他的手里脱落了。

“小心！”艾米惊慌地喊道，“它逃脱了！”

丢下斜板，斯科特和泰刚好来得及闪开，没有被从拖

车上倒冲出来的马撞翻。斜板的表面又旧又破，梅洛迪的一条后腿突然滑了一下。随着一声犀利的嘶鸣，它转过身来，看到它惊恐的眼白，艾米朝悬空的缰绳冲去，但她动作不够快，这匹母马转过身来，径直朝本跑去，它怀孕的大肚子吊在身下晃荡。

“抓住它，本！”斯科特喊道。

本一个俯冲去抓绳子，但这匹母马躲过了他的手，他跌倒在地，抓了个空。

梅洛迪恐惧地闷哼了一声，从他的身边逃开了。泰已经跑去挡住了车道，但这匹母马并没有朝车道跑去，她在盲目的慌乱中径直朝附近的围场栅栏跑去。

艾米看到她的脚步拉长了，突然意识到梅洛迪想试图跳越栅栏。“不！”她恐惧地倒抽了一口冷气。这匹母马大腹便便，身子笨重，它不可能跳得过去。

艾米跑起来，但太迟了。她惊恐万状地看到，就在那一刻，梅洛迪已经鼓足力气，起跳了。

一瞬间，艾米觉得它能跳过去，但它怀孕的笨重身体把它往下拽，它没有跳过那个高度，却跌在了上面的横杠上。一声爆裂，横杠断了。

随着一声令人惊骇的巨响，梅洛迪笨拙地跌落在地上。

艾米用尽全力跑过去。当她接近这匹母马时，她的恐惧得到了证实，她看到断裂的锯齿状横杠深深刺进了这匹马的腹侧。

第二章

艾米飞快地蹲在草地上，焦急地查看这匹马是否还活着。梅洛迪呼吸粗重，眼睛微微睁开，她不禁松了一口气。

“快！”艾米看到其他人走了过来，喊道。她抚摸着梅洛迪温暖潮湿的脖子。“没事的，姑娘。”她喃喃道。看到插在这匹母马身侧的碎木片，她的心怦怦乱跳。“你会没事的。”她真心希望它能相信自己的话。

梅洛迪抬起头开始移动四条腿。“待着别动，好姑娘。”艾米说，她很担心如果这匹母马试图站起来，这会给它造成更大的伤害。但梅洛迪被跑动的脚步声惊扰，摇摇晃晃地挣扎着站了起来，它紧张地竖起耳朵。当其他人赶过来时，艾米迅速抓住了缰绳。

“噢，天哪！”雷·菲利普喊道，“看它！看它的腹侧！”他朝梅洛迪走去，但泰抓住了他的手臂。“你最好别过去，先生。”他迅速说。

“太多人围着它，它会恐慌的。”斯科特一边打开他的兽医包，掏出一双橡皮手套，一边解释道。“抓牢它，艾米。”他轻声说，“我要给它打镇静剂，这样我们才能看清它伤在哪里。”

艾米点了点头，斯科特从一个瓶子里把注射器加满，扭头说：“我需要一些热水。”

“我去拿。”本立即主动提出。

“它伤得有多严重？”卢问，声音里带着哭腔。

“我还不知道。”斯科特答道，开始给马注射。他扭头说：“泰，你能帮艾米稳住梅洛迪吗？我要给它注射镇静剂，但它的身子还在发抖，它说不定会再次倒下去。”

泰走到梅洛迪的头边，与艾米一起稳住它。他们的眼神交汇了片刻。“会没事儿的。”他轻声安慰道。

艾米咬紧下唇，努力忍住眼泪。她现在不能哭，为了梅洛迪，她必须坚强。她抚摸着这匹母马颤抖的脖颈，艰难地吞咽着。

药物开始发生作用，梅洛迪垂下了头，目光开始变得呆滞，眼皮下拉。它双腿颤抖，突然倒在地上，臀部砰的一声倒在了干草上。斯科特帮它翻身，让它躺在没有受伤的身体一侧，接着蹲下来检查伤势。鲜血如涓涓细流般从木块刺穿的腹侧上流下来。

艾米想到它腹中的幼崽，忧心如焚。它受伤了吗？但她知道不能问。此刻，幼崽是斯科特放在最后考虑的事情，他要集中精神救梅洛迪。如果救不活它，在这个早产阶段，小马驹是不可能存活的。

斯科特用他那双娴熟的手探寻着伤口，艾米朝其他人望去。她在他们的脸上看到了同样的焦虑。外公用胳膊紧紧抱着卢的肩膀，雷·菲利普吓得面如死灰。

斯科特继续检查伤口，轻轻摸了摸那块尖利的碎木片，又迅速移到它的腿上。“很幸运，”他最终抬起头来说，眼神如释重负，“没有骨折，柱子刚好错过了它的腹腔。如果腹腔刺穿了，我们能救它的可能性便微乎其微。我想我能把它的伤口缝起来。”

“这么说她没事？”艾米问道，陡然有了希望。

斯科特摇了摇头。“现阶段还不能说。这时候下定论太早了点。她可能熬过去，但也有可能休克或早产——如果小马驹现在就要出生的话，存活的机会很小。”艾米还来不及问其他的，他就再次打开了包，开始飞快下达指示。“泰，我想让你监控它的脉搏。艾米，待在它的头边，如果它有想站起来的迹象，马上告诉我，还要时常检查它的牙龈，如果牙龈发白，立即告诉我——那是它即将休克的征兆。”他四下看了看，看到本提着热水回来了。“本，你能看着它的臀部吗？如果它要生产，我必须马上知道。”

没有时间提问题。人人都按照斯科特的要求做。艾米蹲在梅洛迪的头边，颤抖着手轻轻抚摸着这匹母马的脸和脖子。“好姑娘，”她喃喃道，“你会没事的。”

“好，”斯科特说，“如果大家都准备好了，我就要开始了。”

这一刻非常紧张，斯科特坐在梅洛迪的头边，往这匹母马的腹侧注射了局部麻醉。他小心地拔出了碎木片，开始清理伤口，移除受伤的皮肤。艾米不停地检查梅洛迪的牙龈，按摩它的耳朵。她一边在这匹母马身上打小圈，一边集中注意力安抚这匹母马，让它保持不动，好让斯科特不受阻碍地给它治疗。她竭力不去看丢在一边被鲜血染红的木头。当斯科特开始缝合伤口时，艾米朝泰和本望去，害怕他们中的一个随时会说出了问题。他们的脸紧绷着，但幸好谁都没有开口。

过了好久，斯科特终于剪断最后的缝线，放下了剪刀。“做完了，”他宣布，“我只要再给它注射一针抗生素和一针破伤风就大功告成，它恢复过来后会站起来的。”

看到他开始收东西，卢、外公和雷·菲利普从篱笆墙那边走过来，他们的脸上充满了关切。

“它会好起来吗？”雷·菲利普立即问道。

斯科特直起身子。“希望如此。”他擦了擦额头，回答道，“伤口很深，但不会危及生命。接下来的一周，它需要非常仔细的监护——至少要连续打两天抗生素，还要再服几天药——但只要它不休克，我想它就算侥幸捡回了一条命。”

艾米再也忍不住，问道：“那小马驹呢？”

“梅洛迪随时都可能生产，这依然非常危险，”斯科特答道，“就像我刚才说的，如果生得这么早，小马驹很有可能保不住。”

“它有没有可能被那一跤摔伤了？”艾米焦急地问。

斯科特皱了皱眉。“这没法判断，但它应该受到了羊水和子宫壁的缓冲。我们可以检查一下梅洛迪，但我不想冒险惊扰它。我们越是让它保持安静，对它们俩来说就越好。只要小心照看它就行了。如果它看起来焦躁不安，或开始冒汗，或在马厩里乱冲，那就可能表示生产的第一阶段到来了。”斯科特看着这匹母马，摇了摇头。“小马驹在它的肚子里待的时间越长，存活的机会越大。”

这时，梅洛迪抬起了头。“好的，大家都往后站，”斯科特说，“看样子它要起来。”

“我要解开缰绳吗？”当梅洛迪颤颤巍巍地准备起来时，艾米问道。

“不，你待在它身边。”斯科特答道。他和其他人往后退。“得有人抓住它，以防它跑到原野里去。你和它至少说了半个小时的话，它也许愿意和你在一起。”

梅洛迪伸出前腿，用力发出一声咕哝，挣扎着站起来。它看上去迷迷糊糊，摇摆不定。看到艾米，它虚弱地喷了喷鼻息。艾米伸出手。“嘿，姑娘。”她说。

梅洛迪往后缩，耳朵向后贴。

记起妈妈教给她的，艾米把肩膀侧转向这匹母马，没有试图去靠近它。艾米将手伸进口袋里，找到几块薄荷糖，小心翼翼不去看梅洛迪的眼睛，把一块薄荷糖放在手掌上递了过去。

她等待着。其他人都没有发出一丝声响。

梅洛迪警惕地闷哼了一声，朝艾米走近了一步。

出现了片刻停顿，艾米感到梅洛迪鼻口上的长须在她的手上挠了一会儿，这匹母马叼起薄荷糖，又退后了。艾米依然没动，听着这匹母马咀嚼薄荷的声音，她从口袋里拿出剩下的一块，她知道，这就像她和一匹马在训练场联合一样，让梅洛迪做出它的决定至关重要。如果她朝这匹马走过去，她就会被视为捕食者，这匹母马也许会试图逃跑。

艾米远离了它一步，拿出最后一块薄荷糖。屏住呼吸，耐心聆听和等待着，接着她听到梅洛迪轻微的马蹄声，它朝艾米走来，叼走了她手中的薄荷糖。这一次，母马没有挪开，只咀嚼了两下，糖果就吞下去了，梅洛迪朝艾米又走近了，它柔软的鼻口探寻着艾米的外套。

艾米慢慢转身，轻轻抚摸着这匹母马的额头。梅洛迪乌溜溜的眼睛谨慎地望着她，但它接受了艾米的爱抚，没有挪开。艾米如释重负地叹了口气。赢得这匹母马的信任，第一场仗打赢了。

梅洛迪很快就在查理的旧马厩里安顿下来。尽管它接受了艾米的靠近，但依然对其他人很紧张。

“我保证它很快就会改变的。”斯科特说，望向其他从马厩门上看进来的人，“我现在得走了，如果有什么问题一定要给我打电话。我明天早上会过来给它检查，再给它打一针抗生素。把它的窝四周围起来，以防它真的开始生产，滚撞到墙上，至少得有一米高。”

“我们会的。”艾米保证。

“我不敢相信会发生这种事。”雷·菲利普突然说。艾米转身看着他，发现他充满愧疚。“以它这种状况，我真不该用拖车把它送到这里来，”他继续道，“都是我的错，我应该把它留在家里，竭尽所能地照顾它。”

“别责怪自己，”斯科特说，“你这样做是正确的。

再过一个月就要下大雪了，到时候你面临接生的紧急情况，却找不到兽医来帮助你，它在这里会得到最好的照顾。”

“但如果小马驹受伤了怎么办——说不定会死？”雷·菲利普说着摇了摇头，“我不知道桑迪会说什么，我让她失望了。”

“不，你没有。”卢飞快地说，“斯科特说得对，雷·菲利普先生，你不应该责备自己。我肯定你妻子会明白你在尽力帮助梅洛迪。你又不知道会发生这种意外。”

“我们一定会好好照顾它的。”艾米对雷·菲利普说。

雷·菲利普看着他们。“你们人都很好，谢谢你们。”他朝马厩里瞟了一眼。“你们会把它的情况告诉我的，是吧？”

“当然，”卢说，“我们会定期给你打电话，告知它的进展情况。”

“等小马驹出生后，您能不能过来看看？”外公走上前建议道。

雷·菲利普点了点头，艰难地吞了口口水。“如果一切顺利，我当然会来。”他低声说。

“会的。”艾米说，迫切希望自己能相信这件事。

他最后看了梅洛迪一眼。“再见，姑娘。”他说，脸上依然流露着深深的愧疚，他转身慢慢走开了。外公和卢跟在后面。

“可怜的人。”斯科特轻声说。

当这个男人步履沉重地朝自己的小汽车走去时，艾米看到雷·菲利普弓着背，她摇了摇头，发生这种事真可怕。

“我今晚会打电话来看看它情况如何。”斯科特说着朝这匹母马瞟了一眼，“但如果你们有什么担忧的事情，一定要立即给我打电话。”

“我们会的。”泰说。他和斯科特一起朝院子里走去，让艾米留下来单独陪着梅洛迪。

这匹母马站在马厩后面。栗色的皮毛暗淡无光，肋骨从皮下凸显出来。她看样子需要好好梳洗一番，饱食一顿。

“你得学会不那么紧张，”艾米对母马说，“在这里没有什么可怕的。”

现在其他人都离开了门口，梅洛迪小心翼翼地走上前。它长长的额毛垂落到宽阔漂亮的脸上。它朝艾米伸长鼻子，通过鼻孔轻声喷了喷气。

艾米笑了，也朝它喷了喷气，知道这匹母马是在跟她说，它想和自己做朋友。接着艾米拉开了马厩门上的门闩，轻手轻脚地溜进了温暖的马厩，等待着梅洛迪走到她身边来。艾米抚摸着这匹母马蓬乱的脖子，用手指抚平纠缠在一起的额毛。起初这匹母马很警惕，它的肌肉绷紧了，但随着艾米用手指在它的脸和脖子上打着小圈挪动，它慢慢开始放松。

艾米动作非常轻地移动，最后把手放在梅洛迪绷紧拉长的腹部上。她瞟了一眼梅洛迪的脸，这匹母马没有表示反对，于是艾米把手放在那里没动。

她知道在她的手指下的某个地方有匹小马驹。她闭上眼睛，试图去想象。会是什么样的？它还好吗？它是否在事故中受了伤？它还活着吗？她感到梅洛迪的腹侧随着呼吸上下起伏。

“一定要安好，”她鼓励道，“请你，请你一定要平安无事……”

艾米想整个下午都陪着梅洛迪，但她知道其他马也需要关心，于是和这匹母马又待了半个小时，便走出来，帮助本和泰做杂活儿，不时抽空去检查下梅洛迪。

“我们需要考虑一下它的特殊情况。”泰说，他在喂食之前走到梅洛迪的马厩门边，“它怀孕了，我们得小心使用草药，但大蒜和海草这两样应该都是安全的。你认为呢？”

艾米点了点头。她知道海草能帮助这匹母马的皮肤和皮毛愈合，大蒜能帮助抵抗伤口可能带来的感染。在赫特兰德马场，他们经常用草药和其他自然食疗来治疗马。

“好主意。我们也可以在它喝的水里加些药物。”

“是的，”泰表示赞同，“这能帮助她安顿下来，应对新地方带来的压力。”他若有所思地看着这匹母马。“最好接下来的几天都由你来照料它，艾米。它似乎接受了你。它还在事故的恢复期，尽量不让它接触陌生人会比较好。”

“我也这么想。”艾米回答道。她看着这匹栗色母马，很高兴能独自照看梅洛迪，需要多久就多久。

喂完所有的马，让它们准备休息后，泰和本离开了，艾米回到梅洛迪的马厩，开始用一把柔软的刷子轻轻帮它梳理。过了一个小时，这匹母马的皮毛变得顺滑了，它的马鬃和尾巴总算不打结了，但艾米依然不愿意离开它。要是晚上发生什么事怎么办？她坐在一个口朝上的木桶上，看着这匹母马安静地吃着地上的一堆干草。

八点钟，外公来到马厩里。“你要回屋吗，亲爱的？”他说，双手深揣在冬季外套的口袋里，“天晚了。”

艾米回头一看。“但要是它开始生产了可怎么办？”

外公的眼睛扫过这匹母马。“它还没有显示出任何迹象。”他看到艾米脸上不情愿的神色。“你不能在它生产前的每个晚上都睡在这里，”他轻声说，“让它休息吧，艾米。睡觉前你都可以过来查看它。”

艾米知道外公说得对，她站起身，伸了伸僵硬的肌肉。“再见了，姑娘。”她轻声说，关好马厩门，跟着外公往农舍走去。

“苏拉娅打电话来了，”当他们走到后门时，外公说，“我对她说你会给她打过去。”

“谢谢。”艾米说着脱下靴子。那天早上，她在她最要好的朋友的答录机上留了言，告诉她有一匹新马要来，“您把梅洛迪遭遇意外的事跟她说了吗？”

“只是简短说了说，”杰克答道，“我说你会告诉她详情的。”

艾米在厨房里拿起电话，踏上楼梯，往卧室走去。“别太久，”杰克在她的身后喊道，“晚餐十分

钟就好。”

“好的。”艾米回答，开始拨号码。她知道苏拉娅肯定迫不及待地想要知道梅洛迪的情况和下午发生的事故。

她猜对了。苏拉娅连珠炮似的发问。“发生什么事了？”她一意识到电话是艾米打来的就立刻问道，“那匹母马还好吗？你外公说斯科特去了那里，他给它缝针了……那匹小马驹怎么样了？”

艾米盘腿坐在床上，把事情的经过一五一十地讲给她听。

“斯科特认为它能渡过难关，但它也许会早产，我们不知道小家伙受伤了没有。”

“我能过去看看它吗？”苏拉娅问。

“当然，”艾米说，“你干吗不上午就过来。”

“太好了！”苏拉娅说。她略略停顿了一下。“会不会，嗯……本会不会在？”她说，声音突然变得很随意，令人生疑。

艾米咧嘴笑了。“干吗问这个？”她打趣道，“如果他不在你就不来了？”

“我当然要去！”苏拉娅激烈地喊道，“我想去看梅洛迪，只是……嗯……”

“放松，”艾米插嘴道，哈哈大笑，“他在，他这周三休息。再说了，就算是休息日，他好像也都在这里，他工作很卖力。”她想起本要参加的高级预赛。“噢，对了，本两周后要带瑞得去参加比赛，他说我们俩可以坐他的拖车去观看。但当然了，除非你想去。”她揶揄地补了一句。

“想去？”苏拉娅难以置信地大吼一声，“你试试阻止我看看！”

这时，外公在楼下喊道：“艾米！晚餐准备好了！”

“我得走了。”艾米对苏拉娅说。

“我明天大约十点过去。”她的朋友保证。

“好的，”艾米说，“到时候见！”

第三章

艾米晚上一直睡不踏实。她上床前检查过梅洛迪，这匹母马一直很安静，但她依然忍不住担心。她的梦里满是那匹母马躺在草地上的画面，碎木片扎进它的肚子里。

艾米早上醒得很早，瞟了瞟闹钟。才五点半。外面天还是黑的，但她没有一丝睡意，立即焦虑起来，掀开了被子。

她的牛仔裤和套头衫还躺在昨天晚上丢下的地方。她穿上它们，偷偷溜下楼，走进了厨房。她必须去看看梅洛迪怎么样了。从松木梳妆台里拿出手电筒，走到了外面。

空气严寒，但艾米几乎没有注意到，她跑过黑黢黢的院子。拉开马厩门，走了进去。听到响动，其他几匹马吃惊地走到马厩门边。艾米匆匆经过它们，她来到梅洛迪的马厩时，心跳得很快。她将会看到什么场面?

她用手电筒在马厩门上照，梅洛迪站在那里打盹。当手电筒的光照进去时，它的双眼突然睁开了，它吃惊地往回凝视。艾米赶紧把光线垂到地上。

“别怕，姑娘。”她小声说，当她看清梅洛迪没事时，一阵如释重负的热流从心头淌过，“是我。”

她关掉手电筒。马厩顿时陷入黑暗，过了一会儿，艾米的眼睛才开始适应。她拉开梅洛迪马厩门上的门闩，走进了温暖的马厩里。她只能看清这匹母马黑漆漆的身影。

“没必要害怕。”她柔声说。片刻之后，她听到麦秸的窸窣声，梅洛迪转身小心翼翼地朝它走来。艾米伸出手，感觉这匹母马温暖的呼吸喷到她的掌心。轻轻闷哼了一声，这匹马抬起鼻口，轻轻呼气，它的呼吸像轻柔的指尖拂过艾米的脸庞。

艾米站着一动不动，让这匹母马在她的皮肤和头发上探索，接着慢慢地伸出手，爱抚这匹母马的脖子。

他们久久地站在那里，黑暗笼罩着他们，艾米轻轻抚摸着这匹母马，它使劲吸着艾米的气息。接着，梅洛迪轻叹了一声，将鼻口搁到艾米的肩膀上，靠在那里。这正是艾米一直期盼的信任姿态。她轻轻地在这匹母马的脖子上顺时针打小圈给它按摩。

“可怜的姑娘。”她小声说，感到这匹马放松后，鼻口变重了。“你的生活最近发生了很多变化，对不对？我猜你不明白自己的主人去了哪里，你又为什么会被送到这个地方。但我会照顾你的，我保证，总有一天，我们会给你找个像菲利普夫人那样爱你的人。”

她把脸贴在这匹母马的脸上，要是马能懂人的语言该有多方便啊。艾米唯一能向梅洛迪表达的方法就是用尊重和善意来对待它，绝不做任何会破坏这匹母马信任她的事。

49

随着外面的黑暗慢慢褪去，晨曦逐渐来临，艾米依然和梅洛迪在一起，艾米先按摩它的脖子和肩膀，接着是后背、臀部和腿。慢慢地，她感到这匹母马肌肉里的紧张开始退去。

艾米依然沉浸在自己的工作里，七点钟时，马厩门向后拉开了，电灯亮了，把她吓了一跳。

“艾米！”泰说，看到她从马厩门上往外看，“你在干什么？”

“我来看梅洛迪，”艾米解释道，突然打了个哈欠，“我昨晚睡得不太好。”

泰理解地点了点头，走近马厩。“它怎么样？”

“似乎不错，”艾米说，“没有生产的迹象。腹侧青肿，但我觉得这在意料之中。”

泰把胳膊支在半截门上。梅洛迪除了艾米之外，还不信任任何人，它躲到了马厩后面。

“没关系，泰不会伤害你。”艾米说，但这匹马看上去依然很戒备。

泰的眼神扫过它的伤口。“用些合生花药膏能帮助消除淤伤，促进愈合。”

艾米点了点头。“你认为我们应该怎么锻炼它？我们不能把它带到原野上，如果它打滚，也许会撕裂伤口。”

“等斯科特来，看看他怎么说。”泰说。

他们刚喂完马，斯科特就到了。艾米帮忙抓住梅洛迪让他检查。兽医靠近时，这匹母马畏缩了，但有艾米的抚摸和安抚，它接受了检查，过了几分钟，艾米感到它略微放松了。

“伤口愈合得很好。”斯科特检查完后，给梅洛迪注射了一针抗生素，“只要保证卫生，确保不会撕裂针线就好。”

“那我们该怎么让它锻炼？”艾米问道，抚摸着梅洛迪乌黑的鼻口。

“在能控制的情况下带它走走，”斯科特答道，收拾好包，“它的确需要活动下脚，不然会肿起来，但别带它出去。你们也需要准备好接生工具，放到有盖的干净木桶里。”

“该置办什么东西？”艾米问道。

“碘酒、止血粉、药棉、一条绑尾带、一条毛巾和一个喂食瓶，”斯科特答道，走出了马厩，“我明天也会带些代乳品来，以防在它生产期间，小马驹需要人工喂养。而且，在它的马厩旁准备一捆新鲜的麦秸，一把叉子和一个粪便倒卸车比较好，这样一来，一旦它突然开始生产，你们不至于手忙脚乱。”

“我会准备好。”艾米试探性地说，跟着他走出去了。

斯科特看到了她脸上的担忧。“它很好，艾米，”他轻声说，“这已经是万幸了。”

艾米望着他宽慰人心的眼睛。“我只想让它和小马驹平平安安。”她说着用力吞了下口水。

斯科特捏了捏她的胳膊。“这是我们大家都希望的，”他说，看着梅洛迪一动不动地站在马厩后面，“但目前，我们帮不上太多忙。”

当斯科特坐进他的吉普车准备离开时，苏拉娅妈妈的小汽车沿着车道开上来，艾米跑过去迎接她的朋友。

“梅洛迪怎么样？”苏拉娅边问边跳出小汽车。

“它很好，”艾米答道，“斯科特认为它好多了。”兽医开车离去时，她们俩都朝他挥手道别。

“再见，亲爱的。”苏拉娅的妈妈马丁夫人说，把头从车窗里伸出来，“我四点左右过来接你。”

“拜拜，妈妈！”苏拉娅喊道。她和艾米往院子里走去。“那它在哪里？它在哪间马厩？”

“在后排牲口棚，”艾米说，“它有点儿紧张。”

这时，本从前排牲口棚杰克的马厩里走出来。“嗨，苏拉娅，”他喊道，“艾米说你能来看我和瑞得的比赛。”

“是的，”苏拉娅说，急切地点头，“如果你确定不介意的话。”

“有人来为我加油很好啊。”本说。

苏拉娅面露喜色。

“我们稍后出去骑马怎么样？”艾米建议道，热心撮合苏拉娅和本，想给他们多一点时间相处。

“这太棒了！”苏拉娅兴奋地说。

本也点了点头。

“我们去问问泰想不想一起去。”艾米对苏拉娅说。

泰正在打扫后排牲口棚。“我就不去了，”当艾米建议他一起去小路上骑马时，他答道，“我留下来在训练场上给舞蹈家锻炼一下。”

“你确定吗？”艾米问，不想让他觉得他们都抛弃了他。

泰点了点头。“是的。无论如何，我们中总得有一个要留下来照看梅洛迪。”

“这就是梅洛迪吗？”苏拉娅朝马厩门上往里望去，问道。

“是的，就是它。”艾米说着走到了朋友身边。这匹栗色母马往后退，远离苏拉娅，但当艾米走进马厩时，它竖起了耳朵。

“它很可爱。”苏拉娅说。

梅洛迪在艾米的口袋上抽鼻子。“我没有什么给你吃。”艾米告诉它。

“我这里有。”苏拉娅说着伸出一袋薄荷糖。

艾米拿了两块，喂给了这匹母马，它狼吞虎咽地吞了下去。“试试看它会不会从你那里拿，”艾米对苏拉娅建议道，“它得开始习惯接触其他人。”

苏拉娅伸出一块薄荷糖。梅洛迪迟疑地伸长脑袋。“没关系的，”苏拉娅小声说，“我不会伤害你。”

这匹母马朝前走，迅速叼走了薄荷糖，接着它往后退，咀嚼着糖果。苏拉娅又递给它一块。这一次，梅洛迪更自信地向前迈了一步。它吃下了薄荷糖，蹭着苏拉娅的手想要更多。

“来吧，我们别打扰它了。”艾米说，很高兴这匹母马愿意接受苏拉娅，“我们稍后来带它去散步。”

她们轻手轻脚地走出了马厩。

“斯科特说要准备好接生工具。”艾米说，“你能帮

我准备一下吗？“

“当然，”苏拉娅回答道，“我们需要准备什么？”

艾米跟她介绍完，走向马具室，去搜罗斯科特建议的东西。

“我们得将东西放进木桶里盖住，”艾米说，“这样才能保持卫生。”

这时，电话铃响了。

“我去接。”艾米说，她知道外公出去购物了。她跑过院子，但等到她来到厨房时，卢已经拿起了话筒。

“是朱迪·斯蒂尔曼——本的妈妈，”艾米打开厨房门时，卢说，“你能帮我叫他来接电话吗？”

艾米走了出去。“本！”她喊道，“电话！”

本从院子里走来。“是谁打来的？”他问道。

“你妈妈。”艾米答道。

本顿时僵住了。“告诉她我不在。”

艾米吃惊地皱起眉。“但她说想和你讲话。”

“好吧，我不想和她讲话。”本说着猛地转身朝院子里走去。

艾米从后面追上来。“本！稍等！你不能这样不理你妈妈。”

“不关你的事。”本说着走进了瑞得的马厩，用力甩上了门。

艾米停住了脚步。她该怎么办？她总不能把本拖到电话那里，让他跟他的妈妈通话。她犹豫了一下，往回朝房子跑去。卢将话筒放在了餐桌上，正忙着在她的手提电脑上敲打。“本呢？”她抬头问。

艾米摇了摇头，拿起话筒。

“嗯，嗨，斯蒂尔曼夫人，”她说，“我是艾米。本不能……嗯……这会儿不能来接电话……他很忙。”

“你是说他有意躲着我？”朱迪·斯蒂尔曼机敏地问道。

“不，不是这样。他只是，嗯……只是……”艾米结结巴巴地说。

“好吧，”本的妈妈轻声说，“你不必为他找借口。

我整周都在他的答录机上留言，他一直没有给我打过来。我显然是做错了什么。”她顿了顿，“我想你不知道他有什么烦心事吧？”

艾米感到很尴尬，她不想插手别人的家事。“嗯，我想他很期待你来看他的比赛。”她坦白说。

“那场比赛！”朱迪·斯蒂尔曼的声音听起来很吃惊，“我没有想到那场比赛对他来说这么重要。”

“那是一场非常重要的比赛，”艾米说，“是瑞得第一次参加高级别预赛。”

“好吧，谢谢你告诉我。”朱迪·斯蒂尔曼说，“听我说，你介不介意叫他尽快和我联系？”

“没问题。”艾米说。她把话筒放在了支架上。

“什么事？”卢吃惊地问她，“本为什么不来接电话？”

艾米还来不及回答，后门就开了，外公拎着一盒子零食走了进来。“嗨。”他说着放下盒子，把手伸进外套。“这里有你的一封信，”他对卢说，从口袋里拿出一把信，“是从英格兰寄来的。”

“英格兰！”卢冲口问道，完全把本的事抛诸脑后。

艾米吃惊地看着姐姐。

外公似乎也注意到了卢的反应。“你是不是在期待什么特殊来信？”他问道。

“是的。”卢看到他们好奇的目光，脸刷地红了。“但……但没有什么重要的。”她飞快补充道。

尽管她嘴里这么说，但当外公拿出信时，她还是一把抓了过去，飞快地扫视信封前面。她把信翻转过来，看了看后面的寄件人地址。“噢。”她说，脸顿时垮了下来。

“不是你等的信？”杰克问道。

卢摇了摇头。“是乔安娜写来的，我读寄宿学校时的一个朋友。”她抬头看，似乎想挤出一丝笑意，“我好久没有收到她的来信了，这是个美好的惊喜。”

艾米皱了皱眉。尽管卢竭力掩饰，但她显然很失望。她到底在等什么信呢？

她无法忘记姐姐的神情，回到马具室，她把这件事告诉了苏拉娅。“她一听说有一封英格兰的来信，就表现得很奇怪，”她说，“就好像她在等待什么重要的事情。”

“比如呢？”苏拉娅问道。

“我不知道。”艾米说。卢在英格兰有很多朋友。她们的父亲离开后，母亲也决定搬回弗吉尼亚——她童年的家乡，和杰克一起居住。她带艾米一起回来了，当时十一岁的卢恳求妈妈允许她继续留在英国的寄宿学校。“看起来，她不像是在等一个朋友的来信，”艾米说，“她好像在热切地盼望着什么。”

“也许她在英格兰申请了一份工作。”苏拉娅说。

“这不可能！”艾米说，“她已经决定留在这里。”

在她们的妈妈死前，卢一直在曼哈顿工作，尽管有一阵子，她看起来像是要回到城市中生活，但她最终改变了心意，宣布她将永远留在赫特兰德马场。

苏拉娅点了点头。“说的也是。毕竟，如果她真的考虑离开，她早就告诉你了，不管怎么说，她和斯科特发展得相当好，肯定是有别的什么事。”

61

艾米希望苏拉娅说的是对的。童年的大部分时光，她都和卢分开度过，她们才刚开始了解彼此，这时候她不愿去想姐姐要去国外生活。她点了点头。“但可能是什么事呢？”

苏拉娅耸了耸肩。“你为什么不问她？”

艾米露出狐疑的神情。她想起外公问她是什么信时卢的反应。很显然，她有秘密，而且她不打算告诉任何人。

苏拉娅看到她脸上关切的神情。“听我说，”她实事求是地说，“如果这件事真那么重要，那你迟早都会搞清楚的，现在担心没有意义。”

艾米叹了口气，她觉得苏拉娅说得对，但她讨厌去想卢有事情瞒着她。经历了过去六个月发生的一切，她只想过一阵子简单的生活。

“来吧，”苏拉娅说着挽起了她的胳膊，“我们再去看看梅洛迪，带它出去散散步。”

第四章

在去梅洛迪马厩的路上，艾米看到本抱着一摞空干草兜走进了饲料室。她想起他的妈妈让她代转的口信。

“本，你妈妈问你能不能给她打过去。”她对他说。

本略微点头，继续往前走。

艾米迟疑了片刻，跟上了他。在和朱迪·斯蒂尔曼交谈后，她确信本的妈妈并不像他说得那么坏。“你一直不跟她联系，她听起来很着急。”她说。

本猛地转身。“那又怎样？”他说，“我凭什么要关心？”

艾米努力保持平静。“听我说，你为什么不给她打个电话？真有那么大不了吗？”

“我想干什么就干什么！行吗？”本愤怒地说。他把干草兜扔到地上，快步从她的身边走过去。“别多管闲事，艾米，这是我的事情，不关你的事。”

艾米正要去追他，这时苏拉娅走了过来。“发生什么事了？”她吃惊地问。

艾米叹了口气。“本拒绝给他妈妈回电话。”她飞快地把发生的事告诉了苏拉娅。

令她吃惊的是，苏拉娅皱起了眉头。“实际上，艾米，”她说，“本也许说得有理。这是他的事情，不是你的。”

艾米睁大眼睛看着她，但苏拉娅平静地迎上了她的视线。

“你觉得我是在多管闲事？”艾米问，情绪平静了一些，怒火也下去了。

苏拉娅点了点头。

“这件事让我很生气。”艾米沮丧地说，“你知道的，当我想起妈妈发生的不幸，想起如果能让她活着，我什么都愿意做……”她的声音越来越小。

苏拉娅捏了捏她的胳膊。“我知道，”她说，“但你不能告诉本应该怎么做，他的问题得由他自己解决。”

艾米看着她。“我想，”她说，声音细不可闻，“我想是吧。”

那天上午晚些时候，艾米、本和苏拉娅给马套好马具后，准备去骑马。

“我们去哪里？”他们上马时，苏拉娅问道。她似乎下定决心要表现得格外开心，来改变依然弥漫在艾米和本之间的紧张气氛。

“去松树山脊，”艾米建议道，“那里有些地方很适合慢跑，还有木头可以练跨越障碍。”她决定骑吉普赛，她认为这是带这匹母马出去长途奔跑的好机会，可以由此试探它是否会再次表现出弓背跃起的迹象。

“噢，好的！”苏拉娅兴奋地说。她拍了拍那匹名叫穆奇的枣红色大猎马，这匹马是被丢弃在一块小围场里的，被人发现后送到赫特兰德马场，帮它恢复健康。它现在完全恢复了，差不多做好了重新安家的准备。

他们骑着马沿着通往松树山脊的小路小跑，树林帮他们挡住了刺骨冷风。他们一路小跑，艾米感到她对本的挫败感渐渐消失了。

本似乎也放松下来。看到几根倒在路边的木头，他马上转过身体。“我们从这里跳过去怎么样？”他喊道。

“好的，”艾米说，“我先来。”

检查其他两匹马都在控制下之后，她嗒了嗒舌头，骑着吉普赛慢跑向那两根木头。这匹母马毫不费力地跳了过去，在另一端平静地停了下来。“好姑娘。”艾米赞扬道，拍了拍它，掉转头看看他们俩。

穆奇轻松地跨过了木头。苏拉娅在艾米身边拉马停下，一起看着本。看到其他两匹马跳过去，瑞得有些激动，昂起头，朝前冲。

瑞得迈着短促、兴奋的步伐，用力拉着缰绳。艾米仔细看本的反应。她知道，有一段时间，本将这匹马的这种行为视为挑战，是一场必须打赢的仗，无论这匹马变得多紧张，他都不会放弃，但现在他只拍了拍瑞得，骑着他从木头下小跑过去。

“你不打算跳吗？”当他骑着瑞得朝艾米和苏拉娅小跑过来时，艾米吃惊地问道。

“想，”本说，“但要等他平静下来。”

他拉着瑞得远离她们，转了个大圈。这匹栗色马明显放松下来，它低下头，脖子朝嚼口伸去。略微收了些缰绳，本调转它，朝木头走去。瑞得平静下来了，它竖起耳朵，轻松地拉长了步子，顺畅地跳过了两根木头。

“跳得真不错。”本骑马朝她们慢跑过来时，艾米脱口夸赞。艾米看到本变成了一个更有耐心的骑手，顿时松了口气。瑞得似乎对本的新的训练方法做出了积极的响应。

“瑞得是匹出色的赛马。”她们继续沿着小路往前走时，苏拉娅评论道。

“是啊，”本边说边抚摸着这匹栗色马的肩膀，“我很幸运。”

“它之所以这么讨人喜欢，是因为你的骑术很棒。”艾米说。

本耸了耸肩。“这和我没有关系。哪怕它的背上驮着的是个三岁孩子，它一样跳得好。”

艾米知道这不是真的。尽管瑞得极具跳马天赋，但它很敏感，需要一个像本这样出色的骑手来挖掘它的最大潜能。“这不是真的，这得归功于你。”她坚持道。

本的脸有点儿发烧，他收短了缰绳。“来吧，”他说，看起来是想改变话题，“我们慢跑起来。”

他们在小路上待了近两个小时。吉普赛没有显示出弓背的迹象，但当苏拉娅问是否很快就要将它送回到它主人那里去时，艾米摇了摇头。

“它的情况还不太稳定。”她说着瞟了一眼这匹母马拱起的脖子。也许吉普赛兴奋的时候，肌肉就是这么绷紧的，因为它一感到骑手放松了，就会扭头低下去拉松缰绳。无论什么原因，艾米感到她不能完全相信这匹黑色母马。

艾米、本和苏拉娅回到赫特兰德马场后，他们把三匹马送到原野，接着去帮泰干完院子里剩下的活儿。苏拉娅必须四点钟走，但泰和本一直待到喂完所有的马，把它们都送到马厩里，清理干净马具，打扫完院子后才离开。

“明天见！”当他们最终坐上车回家时，艾米喊道。

“再见！”泰回答道，“别和梅洛迪待整晚了。”

艾米咧嘴笑了，有时候泰实在是太了解她了。

她挥手跟他们道别后，从马具室拿来一把梳洗用的木桶，朝梅洛迪的马厩走去。这匹母马正在马厩门上张望。一看到艾米就竖起了耳朵，自从它来到赫特兰德马场，这是它第一次轻嘶了一声，跟艾米打招呼。

“嗨，梅洛迪。”艾米说，很高兴这匹母马喜欢见到她。

她抚摸着梅洛迪的鼻子，然后系好它，开始给它梳洗。她一边忙活一边清空自己的脑子。她不想去琢磨卢和她等待的那封神秘的来信，也不想去琢磨本和他的个人问题，她聚精会神地有节奏地刷着梅洛迪灰暗的皮毛，直到上面开始泛出微光。

最后，艾米停了停，用一只手背擦过热烫、沾满灰尘的额头。“你是个好姑娘，”她喃喃道，“我今晚会给菲利普先生打电话，把你的情况告诉他。”

艾米把刷子在马栉上擦了擦，清除灰尘和油垢。但当她再次朝梅洛迪走去时，她惊呆了，这匹母马的腹侧好像动了。艾米睁大眼睛看，在那里！又动了！动作很大！

艾米的心欢喜地翻腾起来。她放下刷子，把手贴在梅洛迪的腹侧。这一次，她不仅看清了，也摸到了，是踢腿的动作！踢得那么有力，都能通过梅洛迪的皮毛看到一只小马蹄的形状。是那匹小马驹！它肯定还活着！

“噢，梅洛迪。”艾米喜悦地小声说。

梅洛迪轻声喷了喷鼻息，它似乎对肚子里的蹬踢毫无感觉。艾米解开了梅洛迪的马笼头，飞快地亲了亲它的鼻子，跑出了马厩。她得去把这个喜讯告诉外公和卢。

她跑过院子，心怦怦乱跳。这是他们得知小马驹还活着的第一个信号，她迫不及待地想要与人分享这个好消息。

她踢掉靴子，跑进了房子。厨房炉子上的砂锅正咕咕冒泡，但厨房里没有人。突然，艾米听到卢和外公在大厅里的交谈声。她匆匆朝连接门走去，但当她走近时，外公的话让她停住了脚步。

“你没有告诉艾米？”

艾米停住了，手盘桓在门把手上。告诉我什么？她暗想。

她听到姐姐的声音。“只有斯科特知道。我没有得到回复，不想跟她说什么，外公。我不想让艾米抱任何希望。这是多么痛苦的等待……每一天都觉得信随时

会到。”

信！艾米感到脊柱发痛。卢一定是在说她一直在等待的英格兰的来信。但这和我有什么关系？她想道。

“卢，你必须向她坦白，”外公说，艾米注意到他的声音里有一丝她从来没有听到过的紧张，“你在写信之前就应该告诉她。”

“但如果他没有回信呢？”卢问。

“艾米依然有权知道，你不能……”

够了。“我有权利知道什么？”艾米再也忍不住了，打开门问。

外公和卢闻声都转过身来。

“艾米！”卢吃惊地喊道。

“你在那里站了多久？”外公飞快问道。

艾米没有回答他，一直凝视着卢。“你应该告诉我什么，卢？”她质问道。

卢绝望地看着外公。“我……嗯……”她结结巴巴地说。

“是什么？”艾米喊道，感到越来越惊慌。“卢，你给谁写过信？”

卢深吸了一口气。“爸爸。”她说。

艾米吃惊得说不出话来。爸爸！她睁大眼睛望着卢。隐约中，她早已知道答案，但她还是感到猝不及防。

“我们在妈妈的房间找到那封信后，我就给他写了一封信。”这些话飞快地从卢的嘴里冒出来，“我按照信封后面的地址寄过去，希望他还住在那里，我跟他说妈妈和……和我们想见他。”

“见他！”艾米喊道，终于发出声音，开始往后退，“你肯定是在开玩笑！”

她感到整个世界都要坍塌了。她这辈子，父亲都是一个遥远、模糊的影子。当然，有时候她对他也很好奇，想知道他长什么样，她是否像他，但她从来都不想见他。他抛弃了她们，尽管她记不起他，她却记得那些让妈妈痛哭流泪的夜晚，无论什么事情，无论什么人都不能安慰她，好像她的眼泪永远流不完。妈妈最终挺过来了，向前走了，还创建了赫特兰德马场。但艾米一直知道，过去在她心中留下的伤痛从未离去，只是被她强行压在了心底。

她摇了摇头。“我不想见他！我不想！”

“但他是我们的父亲。”卢喊道。

“那又怎么样？”艾米喊道，“他抛弃了我们！”

“他只不过是想让生活回到正轨！”卢反驳道，“你看过那封信，艾米，他请求妈妈复合！”

“我才不在乎！”艾米喊道。

“艾米，冷静！”杰克·巴特利特说，朝她走去，“我们根本不知道他有没有收到那封信。那封信是他五年前写给你妈妈的，他也许已经不住在那里了。”

艾米绝望地看着他。“但如果不是呢？”她喊道，“外公，要是他回信了，想到这里来，该怎么办？”她的眼睛疯狂地搜寻着他的脸。外公当然不想让爸爸来赫特兰德马场。“想想看，他对妈妈做过什么，对我们做过什么！”

杰克的眼神中掠过一丝暗影。“我……”他的声音越来越小，那一刻，从他的脸上掠过的神情中，艾米知道她猜对了。

卢肯定也看到了外公的眼神。“外公！”她喊道，吓坏了。

“卢……”杰克刚想开口又说不下去了，他摇了摇头。“听我说，我们别争了，等他真的和我们联系了再讨论不迟。”

“他会的！”卢说，“我就是知道！”

“亲爱的，别寄予太高的期望，”杰克疲倦地说，“毕竟，他一直知道这里的地址，就算你妈妈不想见他，他也可以随时和你取得联系。”

“或许他担心妈妈的反应，”卢说，“现在他收到了我的信，他知道我们想见他。”

艾米感到很愤怒。“是你想，”她说，“别替我做出承诺，卢！”

卢转向她，眼中闪烁着气恼的神情。“艾米！”

“别再吵了！”杰克举起手，看着这对姐妹，“求你们了！”

艾米看到他的嘴角和眼角的紧张，愤怒的话跳到了嘴边又吞了下去。这对外公来说不容易，每当谈及她们的父亲，他总是试图保持中立，但她现在意识到这对他来说有多艰难，是他在艾米父母离婚后，帮助妈妈慢慢还原了破碎的人生，和卢争吵只会进一步刺激他。

艾米叛逆地盯着她的姐姐，没有再说什么。

“谢谢。”杰克轻声说，“现在，我们能不能暂时不要讨论这个问题了？”

艾米和卢怒目而视，她们之间的沉默鼓噪着愤怒，异常沉重。但卢似乎像艾米一样，不愿意进一步刺激外公。她点了点头说：“好！”

艾米也点了点头，看到外公的脸上明显露出轻松的神情。“我去换衣服了。”她小声说，朝楼梯走去。此刻她只想一个人待着。

她坐在床上。思绪混乱，这时候她才想起她是要去告诉外公和卢，有关梅洛迪出现胎动的消息。但是此时此刻，这个喜讯似乎不重要了。卢怎么能不先跟她商量，就给父亲写信呢？

但是在内心深处，艾米知道原因。她的妈妈经常跟她说起卢和爸爸之间的父女感情有多深。她说过他们有多相像，两个人都很实际、勇敢、坚定，艾米看过妈妈保存的他们俩一起骑马的照片。当爸爸抛弃她们时，卢会是什么感觉呢？

想起照片，艾米打开床边的抽屉，在里面翻找，直到她找到她保存在那里的照片，是一张全家福——艾米、卢、妈妈和爸爸——坐在一个巨大的沙堡旁边。他们全都笑容满面。她看着自己——一个瘦瘦的两岁稚童，笔直的深金色头发，站在妈妈的身旁，爸爸揽着卢的肩膀。

艾米研究她父亲的长相，然后把这张照片拿到镜子边。比起妈妈，她长得更像爸爸。他们有同样遮盖在厚密的睫毛下的灰眼睛，同样有又高又宽的颧骨和坚定的嘴型，但她根本不认识他，她和他长得相像，却是陌生人。

她再次看着照片。“我不想见你！”她激动地喃喃道。

尽管她这么说，但艾米知道在内心深处——在她心里的某个隐秘的角落——她迫切地想知道，她的父亲究竟是个什么样的人。

第五章

第二天早上，艾米睁开眼睛，在床上躺了一会儿，感觉像是从一场噩梦中醒来，发生的一切如潮般涌上心头。这不是噩梦，是真的！卢给爸爸写过信，他也许会回信，甚至会来拜访。

好吧，到时候我不会在家的，艾米想，匆匆掀开被子，下了床。我不会见他！我不在乎卢怎么说！

她迅速穿好衣服，想在卢和外公起床前走出房子。昨天晚上吃晚餐时的气氛很紧张。她和卢几乎没有说过一句话，外公沉浸在自己的思绪里，很安静。

当艾米准备好早上的饲料时，她听到一辆汽车开进院子的声音。她朝饲料室外望去，看到本从他时髦的黑色汽车里走出来。“你真早啊！”她吃惊地喊道。她瞟了一眼手表，才六点半，要过一个小时本才开始正式上班。

本耸了耸肩。“每当你要去上学，要完成一天的工作总是很赶。我现在就开工，稍后就会轻松些。”

他说得对，但就算是这样，艾米也不想让他觉得一天不得不工作那么长时间。“我们能应付得来。”她说，看到他眼底疲惫的黑眼圈，“你不用那么辛苦。”

“没关系，”本说着走进了饲料室，“你想让我先做什么？装干草兜？”

艾米点了点头。争论没有意义，如果他想努力工作，她也没法阻止他。

本拿起一摞空干草兜，拿到石制饲料室旁边的小干草仓库里。每隔几天，就要从马具室后面的大牲口棚把一捆捆干草搬到干草仓库，把里面装满。这样一来，就不必每天把装满的干草兜拖过去两次。艾米听到本在抖松压紧的干草。“梅洛迪今天早上怎么样？”他喊道。

艾米吃了一惊，停下了手中搅拌饲料的活儿。当然了！小马驹的喜讯！她冲到干草仓库。“它的小马驹还活着！”她说。她飞快地把看到和摸到梅洛迪腹侧胎动的消息告诉了本。

“这太好了，”本说着立即直起身，“它们一般在出生前几周开始踢腿。杰克和卢肯定松了一口气。”

艾米期期艾艾。“他们现在还不知道呢。”她老实说。

本吃惊地看着她。“你还没有告诉他们？”

艾米摇了摇头。“我们昨天晚上发生了一点小争执，”她意识到自己需要给他解释一下，于是说，“破坏了当时的气氛。”她不想说更多，匆匆转身。“我去喂马。”她说着抓起几个饲料桶，大踏步走进了院子。

令艾米如释重负的是，本没有问更多细节。他们让马吃饱喝足后，艾米留下他打扫马厩，自己则走进屋去准备上学。

冲个澡后回到楼下，她发现卢坐在厨房餐桌边，边喝咖啡边读报纸。听到脚步声，卢抬起头看，发现是艾米时，立即低下了头。

艾米不理会姐姐，拿起一个碗，从一个袋子里倒出一些燕麦粥，在餐桌另一端坐下，吃得飞快。两人都没有开口。

就在艾米快要吃完的时候，外公走进了厨房。“早上好。”他说。两个女孩都抬起头。

“嗨，外公。”艾米说着站起身把空碗放进水槽里，“您想喝咖啡吗？”

杰克点了点头。“谢谢。”

艾米给他倒了一杯，正要告诉他梅洛迪的小马驹的事，这时，后门突然开了。泰站在门廊里。“本刚把梅洛迪的小马驹的好消息告诉了我！”他说，看上去很开心，“这是不是天大的好消息？”

艾米看到外公和卢困惑地看着泰。

“什么消息？”外公茫然地问道。

“小马驹踢腿的事啊！”泰惊讶地说。他飞快转向艾米，脸上闪过一丝不满。“本没说错对吧？他说你昨晚看见了。”

艾米感到自己的脸开始红了。“是的，我看到了。”她老实招认。

“太好了！”卢喊道，站起身来，“它肯定在梅洛迪那次摔倒后存活下来了。”

“你为什么不告诉我们？”外公问艾米。

“我刚要说的。”艾米说着从地板上拎起书包，再也不想看他们吃惊的神情。“我要去上学了。”她说。

“艾米……”外公开口道，但艾米没有停步，

“我要迟到了，下午见。”她说着冲出了房间。

泰跟了上来。“发生了什么事？”他问道，追上了她。

艾米顿了顿。“说来话长。”她说，并用眼神恳求他不要再问。“我会……今天晚上我会告诉你的。”她调整了一下肩头的书包带，往车道走去。

“再见。”泰喊道。

艾米点了点头，但没有回头看。她知道稍后她不得不把情况告诉他，但此刻她没有心情谈论昨天晚上发生的事，对泰或是苏拉娅都不行。

“你今天很安静。”当校车到达学校时，苏拉娅问，“你没事吧？”

“没事，挺好的。”艾米迅速说。

苏拉娅看起来不信。“真的吗？”

“当然了！”艾米兀自嘴硬。

苏拉娅盯着她看了一会儿，但接着令艾米如释重负的是，她似乎决定不再逼问她。

一整天，艾米都无法集中精神。每当老师开始讲课，她就开始走神沉思。信到了吗？也许就在这会儿，卢正在拆她们的父亲写来的信，也许他在英格兰的某个地方正在看卢的信，或这会儿他正坐下来给卢写回信。

艾米看得出来苏拉娅感觉她有心事。她们从三年级起就是最好的朋友，她们对彼此熟悉得不能再熟悉了。那天下午，在坐校车回家的路上，艾米最终放弃了假装，把一切对她和盘托出。

苏拉娅睁大了眼睛。“卢给你的父亲写信了！”她压低声音问，以防被别人听见，但她脸上的神情显示了她有

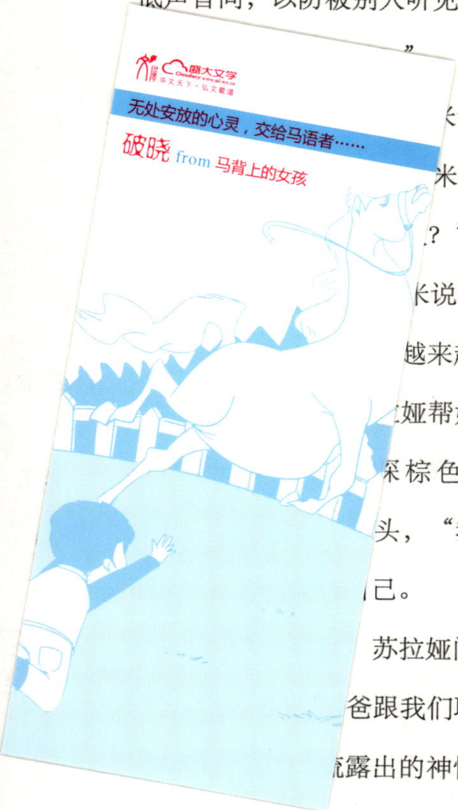

”

米说，“她一直在等回信。”

米的脸。“如果他真的跟你们取

？”

米说着拂了拂头发，“卢当然想见

越来越小。

娅帮她说完了想说的话。

深棕色眼中流露出理解的神色。

头，“我根本就不想见他。”她说这

己。

苏拉娅问道，“他怎么说？”

爸跟我们联系后再说。”艾米答道。她

流露出的神情。“但他说是那么说，我知

道他不想爸爸回到赫特兰德马场。”她的声音轻轻扬起，“我不明白卢怎么能这么自私！她当然知道外公不想见爸爸，我的意思是，在爸爸离开我们后，他不得不照顾妈妈。”遥远的回忆如潮水般涌回来，妈妈在赫特兰德马场的卧室里没完没了地哭，外公竭力安慰她。“卢到底想干什么？”她质问道。

苏拉娅犹豫不决。“好吧，我想她肯定还深爱着你的父亲。”

“她怎么能？”艾米爆发了。她突然意识到旁边几个同学转身看着她们俩，于是再次放低了声音。“我恨他。”她轻声说，双眼湿热，“我绝不会原谅他对妈妈的所作所为！绝不！”她的视线模糊了，迅速低下头盯着膝盖，愤怒地试图抑制住即将夺眶而出的眼泪。

苏拉娅握紧了她的手。

艾米继续盯着自己的膝盖。我是说真的，她想。我恨他，绝不会原谅他！

艾米一下校车，就径直走到梅洛迪的马厩。她想把所有关于父亲的思绪都压到心底。“你好，姑娘。”听到梅洛迪欢迎地轻嘶了一声，她喃喃道，“你想我吗？”

梅洛迪蹭了蹭她的肩膀作答。

“它似乎平静了一些。”身后一个声音说道，艾米转过身，是泰。他是从旁边的一间马厩走出来的。

“我今天和它接触过几次，”他说，“我觉得它开始习惯我了。”他走到门边，把手掌伸向梅洛迪。这匹母马谨慎地把鼻口往前伸，吸气呼气。

“这是一个巨大的进步，”艾米吃惊地说，“几天前，它一点儿都不敢靠近你。”

“我们可以一起带它出去散散步。”泰建议道。

艾米点了点头。“我去换身衣服。”

她朝房子跑去，迅速穿上旧牛仔裤和套头衫。

“我们沿着车道走吧。”艾米说。

刚开始，梅洛迪的耳朵不安地向后贴，一路上它都小心翼翼地观察走在艾米身边的泰，但过了几分钟，它似乎开始放松下来。

“你把它的情况告诉菲利普先生了吗？”泰问艾米，他们停了下来，让梅洛迪吃了一会儿草。

艾米摇了摇头，想起她本来是要告诉他的。“我会的，本来昨天晚上就想告诉他，但……”她犹豫着，“好吧……发生了一些事情。”

她看到泰好奇的神情，知道自己不能再瞒着他了。当她讲完昨晚发生的事情后，他的反应和苏拉娅差不多——关切、理解。

“你肯定很吃惊。”他说着皱起了眉头。

“是啊，”艾米承认，“但我不会去见他的。”她此时说这句话比她在校车上更自信。她说的次数越多就感到越自信。

泰点了点头。“我能明白。”

“但卢不能。”艾米轻声说。

泰同情地看着她。“会好的，”他说，“你就等着瞧好吧。”

艾米希望自己能相信他。光是想想爸爸会回来，她的内心就是一阵恐慌。她的眼神飞快转向梅洛迪，改变了话题。“你来牵它，”她说着把缰绳交给了泰，“它现在都不怎么瞅你了。”

泰接过缰绳，凑近了一些，梅洛迪赶紧避开他，“放松，姑娘。”他喃喃道。

梅洛迪怀疑地瞟了他一会儿，但接着，令艾米松了一口气的是，它放松了下来，又开始啃起低矮的冬草。泰伸出手，轻轻抚摸着这匹母马的脖子，它没有畏缩或走开。

“它开始接受你了。”艾米柔声说。

泰点了点头。“它最终会接受我们的，”他答道，“我们只需耐心，这段时间要慢慢来。”

他们刚把梅洛迪送回马厩，本就走进来了。“嗨。”他看到艾米，打了声招呼。“泰有没有跟你说我们的神秘访客？”

“神秘访客？”艾米反问道。

“噢，就是到这里来拜访的家伙，”泰不屑地说，“你外公说他是来做短工的。”

“他待了一会儿，”本说，“然后一直往牲口棚里张望。”他摸了摸鼻子，“你知道的，我觉得他像乔装的记者。”

“是啊，肯定是。”艾米忍不住笑了，“就像其他新闻记者一样，为了挖新闻，都要把我们的门敲破了。”

“这种事猜不到的。”本说。

泰咧嘴冲艾米微笑。“他这样鬼鬼祟祟地侦察了一整天。记者！他不过是来找工作的。我猜是有人传言说我们这里的生意好得不得了。”他关上梅洛迪的门。“常青藤、独奏、桑旦斯需要溜溜，我们能带它们到外面的小路上去。”

艾米跑去房子拿她的安全帽。外公和卢正在厨房里。

“嗨。”艾米说，从电视机旁的安乐椅上抓起帽子。

卢什么都没说，只是继续查看院子的培育日志，但外公笑了，从正在读的种子目录中抬起头。“嗨，亲爱的。”

“我正要出去跟本和泰一起骑马，”艾米说，她走到门边时，突然想起刚才在马厩里的谈话，“噢，今天来拜访的人是谁？外公。”

令她吃惊的是，外公的身子在椅子里剧烈地一震。

“一个男人？”卢说，好奇地抬起头。

杰克·巴特利特迅速缓和了脸上震惊的神情。“只不过是个来找短工的人，”他若无其事地说，“你出去了，卢，只是一件小事。”

“本却不这么认为。”艾米咧嘴笑道，“他认定他是一个神秘记者，或许是绿石南派来的间谍。”她说完大笑起来。绿石南是她们在镇上的一家马场竞争对手。

卢摇了摇头，转回头看日志了。但当艾米朝外公望去时，发现他苦恼地绷紧了脸。“您没事吧，外公？”她担心地问道。

“我？”杰克吃惊地问。

“是的，您看起来有点儿魂不守舍。”艾米说。

杰克低头看着自己的手。“噢，我只是有点儿累了，年纪大了，不中用了。没事儿，”他微笑地望着她，但她注意到他的眼神心不在焉，“挺好的。”

艾米也微笑地看着他，但她忍不住有点儿担心。外公身体很健康，尽管已经六十八岁了，但在他的身上几乎看不出年老的迹象。艾米希望他说的是真话，于是离开了房间。

接下来的几天，艾米一直发现外公魂不守舍，比平时安静了许多，好像陷入了沉思。艾米也满腹心事——每一天都想着会有什么来信，但到了星期五，依然没有收到回信。

周五晚上，艾米梳洗梅洛迪时禁不住叹气。“会发生什么事呢？”她大声地自言自语。

梅洛迪在啃地上的一堆干草，牙齿在香甜的草秆上舒服地咀嚼。艾米拍了拍它。照看梅洛迪分散了她的注意力，让她不再去想父亲的事情。在健康的食物和每天的悉心梳理下，这匹母马的皮毛终于闪耀出暗黑如七叶树果实般的光彩，皮肤也没有了以往的干枯。瘪平的腹侧也开始圆滚起来，对艾米来说，最重要的是，它的眼神中已经没有了往日的戒备。通过仔细、耐心地照顾，梅洛迪开始允许泰和本接触它了。不过它虽然能忍受他们，但还是没有像对艾米那样，轻嘶或盼望看到他们。

艾米抚摸着这匹母马顺滑的脖子。“你会生下最美丽的小马驹。”她说着突然看到梅洛迪腹侧缝线处出现了一个踢腿的动作。“它将和你一起在原野上吃草，在你的身旁奔驰，那是不是很棒？”

马厩门上响了一声，艾米扭头一看，是泰站在那里，手里握着车钥匙。“哪天我拿个录音机放到这里，”他咧嘴笑道，“放一些有趣的音乐。”

“你也会跟马说话。”艾米反驳道。

“我不能和它们进行完整的对话。”泰逗笑着摇了摇头，“好吧，我要回家了，明天见。我在考虑明天午餐后去墓地拜祭你妈妈，你想一起去吗？”

“我想去。”艾米说。她尽量抽空多去墓地拜祭母亲，但现在这个时节，夜里很黑，冬天的活儿也很多，越来越难抽出时间去看妈妈了。

“我去买些鲜花。”泰说。

艾米点了点头。“那明天见。”

“好的，再见！”泰道别后就离开了。

第二天，吃完午餐后，艾米和泰坐进了他那辆破破烂烂的小汽车，前往墓地。

“我有好几周没去了。”泰说。

“我也是，”艾米答道，“我们太忙了，本来打算上周末去的，但那时刚好梅洛迪来了。”她顿了顿，“不知道如果换做妈妈，她会怎么处理梅洛迪？”她经常发现自己在想，不知道妈妈会怎么对待送到这里的新马。她知道她必须依赖自己的直觉和知识，但很难不去想妈妈会不会采取不同的措施。

泰用鼓励的眼神看着她。“也许和你的完全一样。梅洛迪的伤口愈合得很好，身体越来越棒，也渐渐克服了紧张，你做得很好啊。”

“我想，”艾米说，感到开心了一些，“我只希望它能顺利生产。现在，我们知道小马驹还活着，希望它很健康。”

泰点了点头，沉默地继续开车。

终于到达了停车场，他们下了车。大树在头顶伸展着，光秃秃的树枝映衬着灰暗的天空。这是个寒冷雾多的日子，当他们沿着小路朝玛丽恩的坟墓走去时，呼吸凝固在空气里，像白色的烟雾。

“不知道第一场雪什么时候来临。”泰说，他们的靴子踩在刚撒上砂子的石板路上，发出嘎吱的响声。

艾米点了点头。一下雪，赫特兰德马场的工作量就会急剧上升，水槽结冰，院子里到处积雪，训练场的地面会变得坚硬，这样一来，让马锻炼的机会就少了。她把手揣进口袋里，希望能过一段时间再下雪。他们走过拐角，面前的道路通往一处安静的墓地，玛丽恩就埋葬在那里。艾米突然停住了脚步。“嘿，快看！”她喊道。

一个男人低着头，跪在她妈妈的坟前。听到她的声音扭过头来，迅速起身。他个子很高，头发有些发白。看样子，他年轻时很英俊，但现在脸上布满了深深的皱纹。

一阵怒火迅速在艾米的心头窜起。这个陌生人在干什么？“你是谁？”她质问道，迅速朝他跑去，“你在干什么？这是我妈妈的坟墓。”

男人瞪大眼睛望着她，那一瞬间，她觉得他有话要说。他张开了嘴，但接着，他的脸上掠过一丝奇怪的神情，突然转身，从草地上走开了。

艾米停住了脚步，盯着他的背影，注意到他匆匆逃离时脚有点儿跛。她猛转身面向泰，“你看到了吗？”她愤怒地问。

泰皱起了眉头。

“怎么了？”艾米问。

“是那天到农场找工作的那个男人，”泰答道，“我

不会认错。”

艾米睁大眼睛望着他。“他来这里干什么？”

“我不知道，”泰说，声音听起来很迷惑，“也许是个记者。”他补充道，试图打破紧张的气氛。

艾米寻找那个人的背影，却已经消失在了迷雾中。

“他跪在妈妈的坟前！”半个小时后，艾米回到赫特兰德马场时，气愤地告诉外公和卢，“我走过去问他，他却跑了。”

他们两人正在吃午餐，听到她的话，卢放下了刀叉。“泰说是那天到这里来的那个人？”

“是的！他说他敢保证。”艾米激烈地说。现在，她最初的震惊已经过去了，只感到恼火。这个人是谁？他到她妈妈的坟前干了什么？这既令人毛骨悚然又稀奇古怪。

卢皱起眉头，转身面对外公。“这家伙到这里来的时候，有没有说过什么认识妈妈的话？”

那个片刻，杰克看起来像是要摇头，他似乎克制住了自己，艾米第一次发现他脸上的肌肉绷紧了，颧骨染上了一层潮红。

“外公，是什么事？”艾米看到他防备的神情，问。

外公没有吭声。

艾米的心突然猛地跳动起来。有什么事不对劲——非常不对劲。

“外公？”卢说，艾米从她扬高的语气可以看出外公的表情也令她不安。

杰克清了清喉咙。“有件事你们应该知道，”他说着看看艾米，“你看到的那个男人——那天过来的那个男人——不是个陌生人。他是……”他深吸了一口气，“你们的父亲……”

第六章

瞬间，一切都静止了，接着，房间里的一切都似乎飞速从艾米的身边跑开。她紧紧抓住身前的椅背。“什么？”她惊呆了，结结巴巴地问道。

“那个男人是你们的父亲。”外公重复道。

“这不是真的！”艾米喊道。

“不！”几乎是同一时间，卢也惊叫道。

艾米的眼睛疯狂地巡视着外公的脸，多么希望他能摇摇头，然后微笑，但他没有。他蓝色的眼眸无比严肃。“我一开始就该告诉你们，”他沉重地说，“我错了。他过来的时候，我告诉他，你们不想见他，我叫他走。”

“您干了些什么？”卢冲口而出，猛地把椅子往后推。

艾米吓了一大跳，外公的话令她太震惊了，全然忘记了卢，现在她看到姐姐的脸上露出愤怒的潮红。

“您叫爸爸走？”卢问道，瞪着外公，“您怎么能这么做？”她喊道，声音抬高了，“您知道我多么想见他！”

“是的，我知道，”杰克说，声音听起来很痛苦，“但，卢，我不得不……”他站起身，朝她走来，“他抛弃你妈妈后，我不得不收拾这个烂摊子。我看到他差点儿毁了玛丽恩，卢，我不能让他到这里来。”

他把手伸向卢，卢却抽开了胳膊。“不要碰我！”她瞪着他，“您做了这样的事，我绝不会原谅您，外公！”她气势汹汹地说道，双眼里充盈着了泪水，“绝不！”

“卢……”艾米说，朝她走去。

“不！请让我一个人静一静！”卢喊道。她抽噎了一声，抓起桌边的钥匙，跑出了厨房，砰的一声甩上了门。

“卢！”杰克喊道，但当他和艾米跑到门口时，卢已经发动了汽车。

“我都干了些什么？”卢飞速开走时，杰克喃喃道。他转过身，脸色煞白。“噢，艾米，我到底干了什么？”

艾米看到他眼神中的绝望。“她会没事的，外公。”她极力控制自己不去理会此时猛烈的心跳，“她很快就会回来的。”

已经六点了，卢依然没有回来。艾米简单地向泰解释了一下发生的事情，喂完马后，他走进房间，跟她和她的外公一起等待。

“现在都好几个小时了，”外公说着站起身，来回踱步，“她到底去了哪里？”

“也许去了斯科特家？”泰猜测道。

外公拿起电话，拨兽医家的电话号码。

泰用力握了握她的手。“你没事吧？”他问道。

艾米麻木地点了点头。听她外公说出真相后，她的心就进入了休克状态。一个男人——她的父亲站在坟墓边的模样，不时闪进她的脑海，但每一次她都推开了。想起她实际上见到过爸爸，和他说过话，却不认识他，对她来说实在难以承受。为了不让自己胡思乱想，她把注意力集中在卢的身上。她去了哪里？她没事吧？

她朝泰望去，看到他绿色的眼睛里流露出担忧。“卢会没事的，”他喃喃道，再次握了握她的手，“她只是需要一点时间冷静一下。”

艾米艰难地吞咽着，眼神盯着地面。她多么想相信他说的话，但她控制不住不去想最坏的可能性。要是卢发生了车祸该怎么办？天快黑了，下起了雨，道路一定又湿又滑。过去的回忆如潮水般涌进她的脑海，她竭力打消涌上心头的恐惧。那是五个月前的一天，她和妈妈开车在雨中行进。她的脑海中浮现出那条湿漉漉的路，瓢泼大雨，拖车朝那棵倒下的树滑去……

“斯科特，我是杰克。”

外公的声音将艾米从噩梦般的思绪中惊醒。他问斯科特是否见过卢时，艾米的眼睛巡视着他的脸。顿了顿，艾米看到他眼中跳动的希望熄灭了，立即知道了答案。

“她三个小时前就离开了，”她听到外公说，“我们吵了一架。电话上很难解释清楚，但她很生气——非常生气。”

他挂上话筒。“斯科特要过来。”

就在这时，后门开了，本走了进来。“如果没什么事，我就回去了。”他说着把脚在垫子上跺了跺，他看了看他们焦急的神情，“没出什么事吧？”

艾米点了点头，只简单跟他说他们吵了一架。“是的，你可以收工了，”她逼自己挤出一丝笑意，“我们没事。”

“你确定没有什么要我做的？”本问道。

艾米摇了摇头。“明天见。”

“那再见了。”本说。

艾米和泰沉默地坐在那里，而外公则踱来踱去。

二十分钟后，斯科特到了，他走进厨房，抖落了外套上的雨滴。

“究竟发生了什么事？”斯科特焦急地问道。

听着杰克的解释，斯科特脸上的担忧逐渐加深了。“她就这么走了，没说去了哪里？”

外公点了点头。“我试图阻止她，但她不听。”他站在水槽边，搓着脸，“我真不该那样做，”他对斯科特说，叹了口气，“但当蒂姆出现的时候，我实在克制不了自己。我亲眼目睹他当初怎样差点儿毁了玛丽恩，我不能袖手旁观他刺激我的外孙女儿们。”他痛苦地看着艾米，“请试着理解，亲爱的，我只是想尽量保护你们——保护我们所有人。”

艾米不愿意看到他脸上的愧疚。“我知道，外公，”她说着走过来抱住了他，“我真的理解，但我……我不知道卢能不能。”她用力吞了下口水，眼神与泰交汇在一起。

“你说你在墓地看到了你的父亲？”斯科特问她。

艾米点了点头。

“也许卢去了那里，”他突然说，“她也许会认为他回到了那里。”他从口袋里掏出车钥匙，“我过去看看。”

“我也去。”艾米主动提出，至少她能做点什么，而不是在这里干等着。

“当然可以，”斯科特说着转向杰克，“如果她回来了，给我打电话，如果我们找到了她，我也会通知你的。”

斯科特的吉普车在车道上颠簸前行，雨水泼洒在挡风玻璃上，雨刷来回摇摆，发出有节奏的响声。艾米深深地往外套里缩。请一定让我们找到卢，她暗自祈祷。

她瞟了一眼斯科特的脸，他的嘴和下巴四周的皮肤都担忧地绷紧了。“不知道杰克到底是怎么想的？”他们转上马路时，他激动地嘟囔道。

“他只是在尽量做他认为最好的，”艾米激烈地反驳，立即维护外公，“他不想让我们受伤害。”

“但他知道卢对你们的父亲的感情。”斯科特说。

艾米没有回答。她能看得出来，斯科特是站在卢一边的，但她也能充分理解外公的行为。爸爸离开后，他亲眼看到妈妈受尽折磨，他肯定很难受。让他再去见爸爸，那种痛苦肯定超乎想象。

“爸爸”这个词在艾米的耳边回响。她见过父亲，甚至跟他说过话。他的面容跳进了她的脑海，深深的皱纹，倦意的眼神。她闭上眼睛，希望能把他的样子驱逐出去。

接下来，他们一路沉默地开到墓地，她和斯科特都没有再说什么。没有灯，通往墓地的锻铁大门被锁上了。早先的雾气变得更浓了，正在这个荒凉的停车场飞旋着。突然，艾米看到一辆孤零零的车停在一棵橡树下。

“那是卢的车！”她惊叫道。

斯科特用力踩下油门，他的吉普车飞冲过停车场，喇叭尖叫一声停在了卢的车后。吉普车还没有完全停稳，艾米就跳了出来，朝驾座门跑去，心怦怦乱跳。

窗户上沾满了雾气，但艾米能看到一个模糊的身影蜷缩在前排座位上。

“卢！”她喊道，用力拍打车窗。

紧接着，艾米看到她的姐姐转过脸来，面对着她。

艾米试着打开门，但门锁上了。“开门，卢！”

卢起初没有动，但接着她摸索着打开了锁。

艾米拉开门。“我们担心死了！”

卢睁大眼睛望着她，面如死灰。“他不在这里。我一直等，一直等，但他没有回来。”她的脸突然皱起来，发出一声压抑的抽泣，“噢，艾米，现在我再也见不到他了！”

艾米张开手臂抱住了姐姐的脖子。“你会见到的，”她急促地说，“他会跟你联系的，如果他没有，我们也会找到他，卢，我会帮你的。”

“你说的是真的吗？”卢抽噎道。

“是的！”艾米想说些什么来安慰姐姐。卢安然无恙，这令她大大松了一口气。

她们紧紧拥抱在一起。

“卢！你没事吧？”斯科特低沉的声音在艾米的身

后响起。

“斯科特。”卢说着困惑地离开艾米的怀抱，抬头看着他，“你怎么也来了？”

“杰克把事情的经过告诉我了，”斯科特快语道，“你还好吗？”

卢点了点头。

斯科特蹲下身柔声地说：“我担心死了。”他抓起她的手。“你冻僵了，”他握紧她的手指，“来吧，我们送你回家，明天再来取你的车。”

卢累极了，无力争辩，一言不发地下了车。斯科特把他的外套披在卢的肩上。他一只胳膊抱着她的腰，扶她坐进自己的吉普车里。

后排座位上堆满了药品箱、塑料手套、防水外套和地图。艾米把它们推到一边，爬了进去。当发现卢安然无恙时，她那巨大的轻松感正在慢慢消失，她开始担心回家后会发生什么。

吉普车在房子外面刚刚停稳，房子的后门就开了，外公和泰跑了出来。艾米已经用斯科特的手机给他们打过电话，告诉他们卢没事。

“卢！”外公喊道，卢一下车，他就匆匆走过去，“谢天谢地，你没事。”

卢不理他，快步走进了房子，没有说一句话。艾米看了一眼外公受伤的表情，就去追赶卢。

“卢！”她说，在厨房里追上了姐姐，“外公非常担心你。”

卢猛转身，艾米打起精神，准备做出激烈的反驳，但卢克制住了自己。她开口了，声音平静。“现在我还没有做好和他交谈的准备，艾米。”她说，眼神中流露出受伤的神情，“我只是没有办法。”

斯科特、外公和泰出现在门口。

“我回房间了。”卢凄凉地说。

“卢，”外公快语道，“我们得把这件事谈妥。”

“没什么可谈的，”卢短促答道，眼神朝斯科特扫去，“谢谢你来找我，”她疲惫地说，“我会……我明天会给你打电话。”

斯科特微笑着，“保重。”看样子他还有话想说，但其他人在场，让他欲言又止，“好好休息。”他说。

卢点了点头，转身走出房间，屋内一片宁静。

“我先走了。”斯科特最终说，他望了艾米一眼，“再见！”

他离开时，艾米的眼泪扑簌簌地冲出了眼眶。一切都错了。

泰搂住她的肩膀。“也许我也该走了。”他说，看着她和杰克，“你们有家务事要处理。”他又抱了一下艾米，“明天见。”

外公强颜欢笑。“谢谢你在这里陪我等，泰。”

“不用客气，”泰说，“卢没事，我很高兴。”他看了艾米一眼，然后离开了。

外公坐在餐桌边。“噢，艾米，”他呻吟道，把头埋进掌心，“我该怎么办？”

艾米坐在他的身旁，希望能说些安慰他的话。“会没事的，”她勉强道，“卢会回心转意的。”

外公抬头看着她。“你呢？你感觉怎么样？你想见你的父亲吗？”

那天下午，在妈妈墓前看到的那个男人的身影栩栩如生地闪进艾米的脑海里。她艰难地吞着口水。“我没有认出他，外公。”她喃喃地诉说着整个下午萦绕在她心头的自责，“我都不知道他是谁。”

“你怎么可能认出他呢？”杰克答道，“你十二年没有见过他了，他离开的时候，你不过是个蹒跚学步的孩子。”

艾米垂下视线，也许外公是对的，但没能让她感觉好受些。她怎么会认不出爸爸？她怎么会没有感到一点点眼熟？

杰克抓住她的手。“艾米，你不该为没有认出他感到自责，这是他的错，在你成长的岁月里，他没有在你的身边守候。”

艾米抬起焦急的眼睛，与外公交汇在一起。“但是……”

“没有但是，”外公坚定地说，并抱住了她，紧紧地，“是你的父亲选择离开，不和你们联系。”

艾米感到他的套头毛衣上粗糙的羊毛触到了她的脸。“但他的确给妈妈写过信。”她说。

“我知道，”外公轻声说，“他的确写过。”

艾米抬头望向他。“她……她跟您说起过这件事吗，外公？”要不是她和卢发现了那封信，她从来不知道爸爸来过信。妈妈当时是怎么想的呢？”

“信送到的当天，她就给我看了。”外公说。当他回忆往事时，脸上的皱纹似乎加深了。“我真想……我真想杀了他。”

他摇了摇头，肯定是看到了艾米脸上震惊的神情。“许多年过去了，你的妈妈建立了新的生活，她刚开始寻找幸福，他就来信了，几乎再次毁了一切。只看到他的笔迹就足以让她认真考虑放弃这里的一切，回到他身边。她爱他，艾米。尽管他这样伤害她，但她到最后还是深爱着他。”

“但她没有回去，”艾米奇怪地问，“这是为什么？”

“我想，她最终意识到，她和你父亲之间曾经拥有的美好时光已经不可挽回地被破坏了，再也回不到过去了，”外公答道，“她给我看过那封信后，我们并没有进一步讨论。我们都知道得由她自己来决定。”他吻着艾米的头顶，“她做出了正确的决定，艾米。为了她自己，也为了整个家庭。”

艾米沉默地把头贴在外公的怀里，想着妈妈。这一定是个非常艰难的决定，尤其是她依然深爱着爸爸。还有可怜的外公，亲眼看着自己的女儿经受不幸，他肯定心如刀割。艾米没有责怪他恨她们的父亲，或者把他赶走。

但卢能理解吗？

第七章

第二天早上，艾米起床去喂马时，发现外公已经在厨房里准备早餐了。他眼神疲惫，“你睡得怎么样？”他问道。

艾米睡得很不安稳，梦一场接着一场，全都是父亲站在母亲墓前的样子。“很不好。”她承认，朝冰箱走去。

“那我们俩有伴了。”外公说。

这时，门开了，卢走了进来，厨房里的气氛立即变得凝滞。

“嗨，卢。”艾米说，竭力表现得自然，“你想喝点橙汁吗？”

卢摇了摇头。“不用，谢谢。”她在餐桌旁坐下。她虽然穿戴整齐，但看起来脸色憔悴，很疲惫的样子。

外公放下手中的盘子。“你昨晚睡了没有？”他问她。

卢耸了耸肩。“时断时续。”

瞬间，外公看起来像是要走开，但接着又改变了主意，坐了下来。“听我说，卢。”他说，“我知道我做错了，但我们不能让这件事破坏我们祖孙之间的关系。”

艾米看了看姐姐，又望了望外公，眼神中闪动着类似希望的光芒。

“我决定了，”外公继续道，“尽管我不肯让你的父亲到赫特兰德马场来，但如果你还是想找他，我不能——也不会——阻拦你。”

卢难以置信地看着他。“您真的以为能阻止得了我吗？”她说，声音扬高了。

“卢……”艾米开口了，但她的姐姐看都没看她。卢站了起来，怒视着外公。

“我们现在谈的是爸爸，外公，”她怒气冲冲地说，“他是我的父亲，我爱他。”

“我知道你爱他，卢，”杰克·巴特利特回答道，“我只是说我不想让他到赫特兰德马场来。”

卢摇了摇头，朝门走去。“我去斯科特那里。”

“你不能去，卢，”艾米说，匆匆追上来卢，“你的车不在这里。”

卢顿了顿，但不足一秒。“那我走过去。”她说。

外公附和着艾米。“别发疯了，卢，到那里有好几英里路！”

有那么一瞬，艾米觉得卢打算反驳，但她没有，她只是深吸了一口气。“走走路对我有好处，”她说，声音平和，“我需要一些空间。”

外公叹了口气。“听我说，如果你真想去，卢，我会送你过去，你不能走那么远的路。”

卢迟疑了，但就在这时，泰和本的车从车道上开了过来。她的脸上掠过一丝如释重负的神情。“好了，”她说，“泰会送我过去。”

卢朝泰的汽车跑去，打开了后车门，坐了进去。车调了个头，在车道上逆向驶去。

艾米望向外公。他嘟囔地叫了一声，大踏步回到房子里。

与此同时，本已经泊好车，慢步过来。“发生什么事了？”他问道。

“没什么。”艾米不开心地厉声说道。

她看到本的脸上掠过一丝受伤的神情。他迅速转身，快步朝饲料室走去。艾米沮丧地踢了一下旁边的石头。此刻她根本没有心情去关注本的情绪。她蹙起眉，跟在他身后，朝院子走去。

本把马桶砰的一声放到地上。艾米不理他，开始往桶里舀谷子。两人都没有吭声。

艾米终于受不了这里的气氛。“我把这些拿到后排牲口棚去，”她突然说，拿起几个饲料桶，“你完成这里的活儿吧。”

本没有回答。艾米很高兴能逃离，提着饲料桶穿过院子。

马厩里的马都在门上张望，看到艾米，他们都兴奋地轻嘶。

“好了，好了，我来了。”艾米喊道，开始把饲料往食槽里倒。她最后走到梅洛迪的马厩。艾米走到门前时，这匹栗色母马柔声嘶鸣了一声。

“嗨，姑娘。”艾米说着走进了马厩。

艾米把饲料往食槽里倒时，梅洛迪蹭着她的肩膀。艾米长长叹了一口气，看着这匹母马急切地将鼻子伸进谷子里，开始香喷喷地吃起来。

艾米抱住梅洛迪的脖子，从这匹母马温暖、结实的身体中寻找安慰。一切都乱了。外公和卢从来没有这么激烈地争吵过。爸爸呢？艾米将脸埋进这匹母马粗糙的马鬃里。

“我都没有认出他，梅洛迪，”她绝望地小声说，“我都不知道他是谁。”

她感到有温暖的气息喷到她的后脖颈上，回头一看。梅洛迪好像感觉到了她的不开心，扭过头来看着她。它抬起鼻子，轻轻蹭着艾米的头发。

艾米艰难地吞咽着。她妈妈的马——珀加索斯死前也经常这样做。泪水盈满了她的眼眶。“噢，梅洛迪，”她绝望地小声说，“我不知道该怎么办。”

艾米和本刚给马喂完食物和水，泰就回来了。“那，情况怎么样？”他好奇地问艾米。“卢在去斯科特家的路上几乎没有说过一句话。”

“她今天早上和外公大吵了一场，”艾米答道，试图让声音保持镇定，“昨晚也是。”

“他们有没有能处理好的迹象？”泰问道。

艾米摇了摇头。

“你怎么认为？”泰问道，担忧地看着她。

艾米还没来得及回答，电话铃就响了。“我去接。”她说，知道外公也许在穿衣服。

她跑过院子，走进了厨房。“赫特兰德马场，”她说，“我是艾米·弗莱明。”

“嗨，我是朱迪·斯蒂尔曼。不知道我能不能跟本通话？”

“我这就去叫他。”艾米说。看到红马厩旁有一辆手推车，她走了过去。“你妈妈打电话来了。”她喊道。

“我不想跟她讲话，”本短促生硬地答道，“跟她说我很忙。”

“你自己去跟她说。”艾米愤怒地反驳道。

本对她怒目而视。“我不想跟她讲话！”

艾米的怒火终于爆发了。“噢，够了，本！”她怒喊道，“别像个五岁孩子一样！你自己跟她说去。”

“不！”本愤怒地说。

“好吧，我也不去！”艾米吼道，“你不能老把我夹在中间。”

泰匆匆走了过来。“怎么了？”他大声问道。

“他不接他妈妈的电话，”艾米说，转向泰寻求帮助，“她正在电话那头等着呢。”

“本，别这么冷酷无情，”泰生硬地说，“去接电话吧。”

本好像要辩驳，但接着转身气冲冲地穿过院子，朝房子走去。

艾米看着他，泰无奈地摇了摇头，回去做事情去了。

艾米站在牲口棚顶头边，盯着本接完电话。她感到有必要对自己刚才过激的行为向本道歉。但当本回来后，他只是抓起干草叉，朝瑞得的马厩走去，根本不理艾米。

“本！”艾米喊道，跟在他身后。

他愤怒地猛转身。“瞧，我已经跟她说话了，不是吗？现在我只想一个人待一会儿。我去打扫马厩。”

艾米几乎气疯了。“打扫！好像那有多重要似的。”

本僵住了。“噢，对不起，我忘记了，”他厉声说，“我在这里所做的一切都不重要，不是吗？”

“你在胡说八道什么？”艾米质问道。

“我做什么都不重要，”本喊道，“你和泰治疗马匹，我不过是个马厩伙计。无论我工作多卖力都没有差别，我做的谁都能做。基本上可以这么说，你们都排在前面，最后才是我。”

艾米完全惊呆了。“你真是疯了，”她吃惊地说，“我们从来没有这么想过。”

“没有？”本不相信地反问，“那为什么这里发生的事情你都不告诉我？”他脚跟一转，快步往回朝瑞得的马厩走去。

艾米目瞪口呆，她从来没想到本感受到了这样的冷落。她顿了顿，再次跟上了他，她得把情况处理清楚。

他正气呼呼地把干草往推车里叉。

“本，”艾米说，但他没有抬头，甚至无视她的存在。“听我说，很抱歉，”她飞快地说，“我不是有意不告诉你的，我只是还没有做好准备把发生的事情告诉你，情况有点儿复杂。”

本似乎迟疑了片刻，但依然没有抬头。

艾米艰难地吞了下口水。“是我爸爸，”她对着他的

背说，“你知不知道他十二年前离开了我们？好吧，卢最近在跟他联系，他那天想过来拜访，就是那个外公说的来找短工的人。”

本飞快转身。“那个男人？”

艾米点了点头，把发生的其他事迅速解释了一下。“所以现在卢很生外公的气，外公下定决心不让他到赫特兰德马场来。”她总结道。她看着他吃惊的脸。“我……我跟你说过情况很复杂。”

本点了点头。“是的，我看得出来。”他眼神中的怒火彻底消失了，看上去很难为情，“谢谢你让我知道。”

“我早就该告诉你，”艾米说，“你现在是赫特兰德马场的一分子了。”

本躲开了眼神。“是啊，随便你们怎么看吧。”他嘟囔道，听起来像是不相信她的话。

“你是的。”艾米坚持道。

本重新转向麦秸床。艾米凝望了他一会儿，摇了摇头走开了。

她在后排牲口棚找到泰。“你完好无损吧？”他咧嘴笑道，“谁输了？你还是本？”

艾米没有心思开玩笑，迅速把本说的话告诉了他。“他觉得自己在这里无足轻重。”她说。

“这个想法太愚蠢了。”泰说。

“他就是这么想的，”艾米答道，“我把卢和外公之间发生的争执告诉了他，但似乎也没有起到多大作用。”

泰皱起了眉头。“我们需要跟他谈谈。”

“我试过了，”艾米说，“但他就是听不进去。”

“稍后再试，”泰说，“找个借口说你想让其他人来骑骑吉普赛或什么的，和他一起出去骑马。这样也许能让他更容易说出在这里不方便说的话。”

艾米点了点头。“好吧，但你呢？你也一起来吗？”

泰摇了摇头。“也许就你们两个人，他更容易敞开心扉，如果没有成功，我们就一起来说服他。”

两个小时后，艾米和本骑着穆奇和吉普赛出了赫特兰德马场。天刮起了大风，马儿兴奋地小跑起来。艾米拍了拍穆奇枣红色的脖颈。“我们去原野小路，”她说，“那里有树荫遮风，比在山上好。”

本点了点头，他们转身骑马踏上了通往山谷的小路，默默无言地沿着杂草丛生的小路行走。艾米琢磨着怎样开始她想要开展的谈话，但每当她朝本望去时，他正襟危坐的样子都让她开不了口。她能说什么呢？无论她怎么开始，这都将是一场非常尴尬的谈话。

穆奇拖着缰绳往前蹭，艾米临阵退缩了。“我们小跑起来吧？”她说，暗暗告诉自己可以再等等。

“好。”本短促答道。

艾米嗒了嗒舌头，穆奇迫切地跃起，开始小跑。道路两边的树木在风中狂舞，穆奇的马鬃在艾米的手上飘拂。她朝吉普赛看去。这匹黑色母马高昂着头，像是要加快速度，但本毫不费力地控制住了她。

“吉普赛很听你的。”艾米喊道。

他们跑过路上的一个弯道。突然，穆奇和吉普赛都剧烈地躲闪。原来是一堆塑料桶被丢弃在路旁，上面盖着防水帆布，帆布在风中疯狂地抖动。

艾米迅速恢复镇定，控制住了穆奇，朝本望去。他正在安抚吉普赛，这匹马正从木桶前往后退，浑身发抖。

“没事的，姑娘。”艾米听到他说，“它们没有危险。”

“我先去。”艾米喊道，希望吉普赛看到穆奇从木桶边走过去，也会跟上来。她用腿一夹穆奇身体两侧。“走。”她说。但就在这匹枣红大马往前走时，帆布舞动得更剧烈了，穆奇再次往后躲。

“还是我来吧。”本说。他缩短了缰绳，敦促吉普赛前进。这匹黑色母马闷哼了一声，双眼睁大了，但本坚持向前。吉普赛高抬腿，朝木桶走去，它身体里的每一块肌肉都绷紧了。

这时，一阵狂风从帆布下吹过，将帆布从绳子上撕裂开来，旋转着向上飘去。随着一声惊慌的嘶鸣，吉普赛往侧边冲去，但大风把帆布朝它抛来，眨眼之间，缠在了它的马鞍上。

吉普赛恐惧地闷哼了一声，开始危险地弓背。

“本！”艾米惊慌失措地惊呼道。但此刻，穆奇被帆布的噪音和吉普赛的弓背吓坏了，它臀部一转，向相反的方向跑去。

它只跑出几步，艾米就拉住了它，把它调转过来。吉普赛弓背拉松了马鞍背后的帆布，现在，这块帆布从田野上飞旋而去。但吉普赛似乎毫无察觉，它的脑袋吊在双膝间，疯狂地弓起背来。

艾米腹中翻江倒海，本不可能制服它。她等着他跌落到地上，但他没有，他的身体随着马身移动，他依靠自己强壮的腿和在马上的坐姿牢牢稳坐在马鞍上。马又弓背了三次后，本把吉普赛的头拉抬起来。艾米看到他不停地蠕动着嘴唇，竭力安抚这匹受惊的母马。过了很久，它终于颤抖着停了下来。

“你没事吧，本？”艾米喊道，踢了踢穆奇，小跑着朝前走去。

本正低倚在吉普赛的脖子上，一边安慰它，一边抚摸着它，然后环顾四周。

“真是太刺激了。”他咧嘴笑道。

艾米惊奇地凝视着他。刚经历那样的危险，他怎么还能笑得那么灿烂？“你是怎么做到的？”她结结巴巴地问道。

“多亏了我使用的强力胶水。”本开玩笑说。

“如果你掉下来，我们就得重来。”艾米说，突然意识到多亏了本在马背上坐稳了，否则他们在吉普赛身上所做的工作就全都白费了，他们多么幸运。“你太棒了！”

本看起来很难为情。“这没什么大不了。”他不好意思地说。

“我说真的！”艾米喊道，骑着穆奇朝吉普赛走去，“你太厉害了！”

但本看起来不确信。“换谁都能坐得稳。”

“不会的，”艾米说，“本！你是名出色的骑手。”她看到他脸上的怀疑，突然，憋在心里的话结结巴巴地脱口而出，“别总瞧不起自己，你除非是疯了，才会认为我们不需要你，我们需要——我们真的需要！”

本迟疑了片刻。“你说的是真的吗？”

“当然了！”艾米喊道，“如果赫特兰德马场没有你，绝不会像现在一样。”

本的脸上掠过喜悦的红晕。“谢谢，”他说，“这对我来说真的很重要，艾米。”

“这是事实，”她直截了当地说，咧嘴望着他，“你现在是赫特兰德马场的一分子——无论你喜不喜欢。”

令她如释重负的是，本也冲她笑了起来。“我喜欢。”他说。

他们交换着微笑，接着本拿起缰绳，命令吉普赛往前走。“好像被你说中了，”他说着迅速改变了话题，“它还没有做好回家的准备。”

“显然没有。”艾米表示赞同，她在他身边沿着小路往前骑。“那么，你期待那场比赛吗？”她问，很高兴随着话题的改变，他们之间的紧张也不复存在了。

本点了点头。“嗯，很期待。你和苏拉娅还会来看我参加比赛对吧？”

“当然。”艾米说。

他们沉默地骑了几分钟，接着本开口了。“你……你知道我妈妈早上打过电话来。”他说。

艾米点了点头。她怎么会忘记呢！

“嗯，她终于能来看我参加比赛了，”本说，“她改变了会议时间。”

“那真是太好了！”艾米喊道，看到他脸上的不悦，“难道不是吗？”她不确定地问道。

本低头盯着吉普赛的脖子。“她做什么我才不在乎呢，”他说，“她根本不关心我。”

艾米瞪大眼睛看着他。“但她是你妈妈！”

“那又怎么样？”本说着辛酸地摇了摇头，“我对她来说从来都无关紧要。”

“我不相信。”艾米说，想起那天本拒绝接斯蒂尔曼夫人的电话时，她受伤的语气。

“你不相信？”本说，“那她为什么送我来和姨妈一起住？她只想摆脱我。”

“我想这是因为你老是惹是生非，”艾米说，想起她听说的关于本的过去。“你逃课是不是？”她凝视着他的脸，“如果她不在乎你，她就会放之任之。本，这对她来说不容易。”

“好吧，对我来说也不容易！”本愤怒地喊道。他摇了摇头。“你懂什么？你妈妈从来没有抛弃过你……”话还没有说，他就立即后悔了，脸上失去了血色，但艾米几乎没有注意到。她怒不可遏。

“是啊！但我爸爸抛弃了我们！”她愤怒地喊道，“我妈妈也死了！”热泪刺痛了她的双眼，“你不知道自己有多幸运，本，”她吼道，“我不敢相信，你居然不肯再给她一次机会。”

竭力掩饰泪水，艾米把脚跟踢进穆奇的腹侧。马儿吃惊地闷哼了一声，身子往前跃，慢跑起来。艾米敦促它前进，她听到本在冲她吼，叫她停下，但她根本不理他，她只想逃离他，逃离一切。

“再快点儿！”她抽噎着对穆奇说，“再快一点儿！”

穆奇从慢跑变成了飞奔，他的马蹄沉重地落在地上，飞越过潮湿的草地。寒风猛烈地击打着她的脸，吹落了她眼中的泪水。她不停地用鞋跟踢着马腹侧部，从本身边跑开——逃离她纷乱的思绪。

透过朦胧的双眼，她看到路尽头向右拐的弯道。她知道从来没有骑马跑得这么快过，但此刻她失去了理智，完全不在乎了。本、卢、外公和爸爸——只能继续飞奔，才能忘记这一切。

突然，她听到身后传来马蹄声，她扭头向后望去，在本的催促下，吉普赛追了上来。本上身低倚在这匹黑色母马的脖子上。“停下来，艾米！”他吼道，“你过不去那个弯道的！”

艾米不理他，催促穆奇朝拐弯处跑去，但吉普赛三个大步就拉平了距离。本把身子伸到穆奇的脖子上，一把抓住了它的马缰。

感到本抓住了皮革，穆奇猛地仰起头，它的腿开始打滑。艾米的身子往后抛，幸好抓住了穆奇的一把马鬃，才不至于摔下来。

“你在干什么？”她冲本尖叫。

“你问我？”他回吼道，“你自己呢？你疯了吗？”

艾米正要尖叫反击，但她突然看到了那个拐角，距离她们前方仅一米，她这才醒悟过来，她差点儿伤到了穆奇。以那个速度，在路上跌下来是致命的。过去几天发生了许多事情，艾米心弦紧绷，都要绷断了，她发出一声抽泣，从穆奇的背上爬下来，瘫坐在地上，把头埋进掌心里。

本飞快翻身下马，跪在她身旁。“没事了，”他说着抱住她颤抖的肩膀，“艾米，别哭了，我不该对你说那些话。”

“跟你没关系，”艾米感到忧心如焚，“是所有事情，所有事情都错了。”

“船到桥头自然直，”本说，“你就等着瞧好吧。”

“怎么会呢？”艾米喊道，“外公和卢在爸爸的事情上绝不能达成一致。要是他再来怎么办？如果卢决定离开赫特兰德马场，去和他一起生活怎么办？”

“不会发生这种事的。”本说着把她拉到身边，抱紧了她。但艾米知道这些不过是空洞的语言，谁能猜到将来会发生什么？谁知道要是爸爸真的回来了该怎么办？她的眼泪连串地滴落下来。

说不出什么话来安慰她，本只能一直抱着她，过了很久很久，她终于停止了哭泣。艾米深吸了一口气，抬头看着他。“对不起。”她说，感到非常难为情，用外套的袖子擦了擦脸。

“错不在你，”本说，“该道歉的人应该是我，我不该把自己的问题都抛给你。”

“我不介意，”艾米说着朝他望去，艰难地吞咽着口水，有些话她不得不说，“你很幸运，本，你还有妈妈，现在还不算太迟。”

她看到本畏缩了，躲开了眼神。长久的沉默，最终，

艾米收起缰绳，把脚踏进马镫里。“来吧，”她说，没有看他，“我们该走了。”

她上了马，回头看时，看到本依然怔怔地站在吉普赛的身边。

“本？”她说，“你不来吗？”

他没有回答她的问题。“你说得对，”他轻声说，“我想我是幸运的。”

再没说什么，他翻身上马，嗒了嗒舌头，两匹马向前走去。

他们沉默地骑着马。本陷入了沉思，但艾米几乎没有注意到，她的脑子里全是卢和外公以及家里势如水火的状况。

他们靠近赫特兰德马场时，本在马鞍里扭转了一下身体，脸上是决然的神情。“我会给妈妈打电话。”他说。

这句话将艾米从沉思中惊醒了，她瞪大眼睛望着他。“真的吗？”

“真的。”本深吸了一口气，“无论发生过什么，她还是我妈妈，如果她想来看我比赛，我不会阻止她。”

第八章

艾米正取下穆奇身上的马具，泰来找她了。“情况怎么样？”他低声问她。

在骑马途中发生那么多事，艾米几乎忘了和本一起出去骑马的初衷，她原本是想告诉本，他在赫特兰德马场的重要性。“嗯，”她说，“我……我想我们已经把问题解决了。”

“那太好了。”泰说，看起来松了一口气。

“我稍后会告诉你。”艾米说着走出了马厩。

当艾米朝马具室走去时，听到本在瑞得的马厩里说话，经过的时候往里瞟了一眼，看到他在拿手机打电话。好吧，艾米暗想，希望他这次和妈妈的对话进展顺利。

“怎么样？”当他出现时，她赶紧走过去问，“情况如何？”

他耸了耸肩。“好吧，她跟我说她能来看我的比赛。”

“那她会来吗？”艾米迫切地问。

本点了点头。“她会在那里与我会合。”他用一只手耙梳着头发。“场面肯定很滑稽！”

“肯定会好的。”艾米乐观地说。

但本看起来一点儿都不确定。

好吧，这也许会是一次失败的和解，她从瑞得的马厩走开时想，但至少本又跟他的妈妈说话了，这无疑是往和解的方向迈进了一步。

那天下午，本在院子里像换了个人——笑口常开，玩笑不断，甚至到房子里和艾米、泰吃了午餐。

“嗯，你跟他说的话好像奏效了。”那天下午在水槽边往水桶里加水时，泰对艾米说，“我从来没有看到他那么放松过。”

艾米把吉普赛弓背跃起以及她与本的谈话讲给了泰听，但她没有将骑穆奇飞奔的事向泰老实交代。她觉得这是可耻的事，她想忘记。

“但最好的消息是，他主动和他的妈妈联系了，”艾米说，“下周他会在赛场见到她。”

“你还去观看吗？”泰问道。

“去啊，”艾米说，“你干吗不去？”

“我也想去，”泰答道，“但那天我安排了和几个朋友见面，那天我正好休息。”

艾米吃惊地抬头看他，除非是和马有关，泰很少出去。“你去见谁？”她问道。

“皮特和格雷格——他们是我高中时的同学，”泰说，“我们很早之前就约好了，在他们去上大学前聚聚。我很希望能去看比赛，希望本能取得好成绩。他这么勤奋地训练瑞得，一定能成功。”

就在这时，农舍门开了，外公朝外望。“艾米！”他喊道，“你的电话！是菲利普先生！”

艾米朝厨房跑去，从外公的手里接过电话。“嗨，”她说，“我是艾米。”

她听出了菲利普先生犹豫的语气。“我……我打电话来只是想问问梅洛迪怎么样了，”他说，“我希望你不要介意。”

“一点儿都不。”艾米说。她在事故后就没有和他通过话，本想给他打电话的，但这几天发生了许多事情，她根本没有心思给他打电话。现在她很高兴能把好消息告诉他。“它很好，”艾米说，“它的伤口愈合得很好，它没有表现出任何要生产的迹象。”她突然想起了最好的消息，“它的小马驹踢腿很有力，它肯定还活着。”

“噢，这真是太好了。”雷·菲利普惊叹道。艾米听到他颤颤悠悠地深吸了一口气。“我担心死了。”他说出了心里话。

“嗯，就像我说的，它很好。”艾米说。

“我妻子要是知道这个消息肯定很高兴。”菲利普先生平静地说。

艾米听到他语气哀伤。“小马驹出生后，你愿意过来看它吗？”她问道。

“我当然想去。”雷·菲利普答道。他顿了顿，再次开口时语气艰难。“也许只有我过去亲眼看到它安然无恙，我才会觉得自己没有做错。”

“小马驹一出生，我就会打电话通知你。”艾米保证，“还有，菲利普先生，”她迅速补充道，“我敢肯定，一切都会顺利的。”

当她放下电话时，她极力思索。菲利普先生显然还在为梅洛迪的事故自责。她希望他真能来一趟，让他亲眼看看这匹母马和它的小马驹都活得好好的，这样他就不会再责备自己做出这样的决定了。艾米全心全意地希望，梅洛迪和它的小马驹能顺利度过这一关。

那天晚上，卢从斯科特那里回来了，但她几乎没有跟外公说过话。接下来的几天，他们之间的沉默变得更长了。他们不再争吵，但紧张气氛显而易见。卢下定决心要找到她们的父亲，她打遍这一带所有旅店和客栈的电话查找。除了打电话，她尽量避免待在房子里，她会去院子里和本以及泰在一起，要不就去找斯科特。

艾米有生以来第一次发现自己几乎每天都盼着去上学，至少这意味着，她能从赫特兰德马场弥漫的紧张气氛中逃离出去。她渴望能做点什么来弥补外公和卢之间越来越深的裂缝，但她不知道该怎么做。外公固执地坚持不让她们的爸爸来赫特兰德马场，而卢同样坚决地要找到他。

周五下午，艾米回到家时，发现卢正在充满希望地等待着她。“我想我找到爸爸了，”她说，双眼闪闪发光，“有一个名叫蒂姆·弗莱明的人住在一个名叫‘河边小屋’的小客栈里，他是星期日走的。”

艾米睁大眼睛望着她。随着一天天过去，她开始认为卢不可能找到她们的父亲，这让她心头的一块大石头落了地。“真的……是爸爸吗？”她结结巴巴地问道。

“我不知道，”卢兴奋地说，“但我肯定一定是他，名字没错，他们说他个子很高，头发略微灰白，他是在爸爸到这里来的前一天登记入住的。他们不知道他接下来要去哪里，但有他的地址。”

“你……你又打算给他写信吗？”艾米问道。

“我已经写了，”卢答道，“我今天下午发出去的。我跟他说我们俩都迫切地想要见到他。”她皱起了眉头，肯定是看到了艾米震惊的神色。“我不明白你怎么看起来那副神情，你跟我说过你想找到他的，你跟我说过你会帮助我的。”

艾米想起她和斯科特在墓地外面找到卢的那天晚上，自己说过的话。“我知道，”她说，尽量缓和卢的情绪，“我的确想让你找到他，只不过……”

外公突然走进了房间，打断了她的话。卢的反应立竿见影——好像她脸上的一扇百叶窗关上了。“好吧，如果有什么消息，我会告诉你。”她突然对艾米说，接着转身离开了厨房。

艾米不知道说什么好，争吵延续的时间越长，能解决的可能性就越小。她不明白他们为什么不能和好。

“卢……卢认为自己找到了爸爸，她有没有告诉过您？”她问道。

“没有。”杰克说，看起来很吃惊。

“她弄到了他的地址，又给他写了一封信。”艾米说。

杰克摇了摇头。他们之间出现了片刻的沉默。

“外公，”艾米突然小声说，“我不想见他。”

杰克看着她，伸出手臂。“到这里来。”他说。

艾米朝前走，感到外公用胳膊环抱住了自己，他的怀抱温暖又宽慰人心。

“你知道的，这得由你自己来决定，但无论你怎么决定，无论发生什么，”他柔声说，“我都会在这里。”

五分钟后，艾米朝院子走去，她下定决心要分散一下注意力，尽量不去想卢和她告诉自己的消息。外面很冷，她庆幸自己穿了件暖和的外套。

看到泰从马具室出来，她疾走过去见他。“梅洛迪今天怎么样？”她问道。

“有点儿烦躁不安，”泰答道，“但我已经带它出去走了几次，它似乎平静了一点。”

艾米点了点头。斯科特告诉过她，随着梅洛迪伤口的愈合和身体状况的好转，它有可能会变得更活跃。他也说过，只要一切都好的话，接下来的一周可以让它每天出去吃几个小时的草。

“我去看看它。”艾米说。

就在这时，本出现了，牵着瑞得从训练场走过来。

“它怎么样？”泰喊道。

“很棒，”本答道，停下来拍了拍瑞得强健的脖子，“我只希望它明天的表现一样好。”

“我打赌，它一定非常出色，”艾米自信地说，“你打算给它洗澡吗？”

本瞟了一眼灰暗的天空，摇了摇头。“天太冷了，我只清洗了一下它的尾巴，好好梳理下它身体的其他地方。

我明天早上给它编辫子。”他嗒了嗒舌头，继续往院子里走去。

“天气预报说过几天要下雪。”泰说，和艾米继续往梅洛迪的马厩走去。

“我希望能等到比赛结束后再下。”艾米说着打了一阵寒战。

泰点了点头。

他们走到后排牲口棚。梅洛迪正从马厩门上往外张望。“你今天是不是不老实了？”艾米说，抚摸着这匹母马温暖的脖子，看了看被它搅乱的床铺。“我也许还得再带它去散散步。”她大声说。

“好吧，”泰答道，“它出去后，我来整理它的草垛。”

艾米给梅洛迪套上马笼头，牵着这匹母马沿着车道走。梅洛迪怀孕的肚子似乎比任何时候都大。很难相信它还要两周才到预产期。它行走时动作迟缓，艾米注意到它的腿出现了水肿现象。

“可怜的姑娘。”她对这匹母马说，“你每天出来吃点儿青草会更开心，是不是？运动能消除水肿。”

她停下来让梅洛迪小口啃食青草，但令她吃惊的是，这匹母马似乎并不热切。它咬了几口草，就毫无兴趣了。

艾米决定把它送回马厩。在路上，她碰到了的本，手里还拿着瑞得的马具。他皱了皱眉。“它看样子快生了。”他说。

艾米拉住了梅洛迪。“不可能，”她焦急地说，“它预产期还有两周呢。”

“我敢打赌最多不超过一周它就要生了，”本说，“看看它后部的肌肉都松垮了。这通常是只在生产前几天才会发生的。”

艾米很着急，牵着梅洛迪往牲口棚走去，走进了它的马厩。如果本说得对，梅洛迪早产该怎么办？她应该给斯科特打个电话问问他的看法。

“本也许说得没错。”当她打通电话，把梅洛迪的情况告诉斯科特后，斯科特说，“但就算它要生了，也不会太早，母马很少能在预产期当天生，比预产期提前几天生产是正常的。理论上说，如果现在出生，小马驹不会有危险。”

“你能过来看看它吗？”艾米问，略感安慰。

“我这几天非常忙，恐怕去不了。”斯科特说，“你要不看看情况怎么发展，如果出现了令人担忧的迹象就给我打电话，另外，我星期日尽量过去一趟。”

第二天早上，艾米早早起来了，浓雾笼罩着大地。她一边大踏步穿过院子，一边打量着灰暗的天空。云朵上积满了雪，沉沉欲坠。她皱了皱眉头，希望雪能至少等到比赛后再下。

梅洛迪烦躁地在马厩里走动。艾米走了进去，抚摸着这匹母马的腹侧和后部，那里的肌肉变松了。

“它怎么样？”

艾米转身看到本站在门边。“你来得真早。”她吃惊地说。

“我睡得不是很好，”他答道，“我老想着比赛的事，还有和妈妈见面。”

“嗯，梅洛迪和昨天差不多。”艾米说着拍了拍这匹栗色母马。“它似乎还是烦躁不安。”她蹙着眉，“也许我不该去看你比赛，也许我该留下来。”

“你一定得去，”本快语道，“我需要你的支持。赛场距离这里只有一个小时的车程，”他补充道，“你不能叫你外公留意下梅洛迪吗？如果梅洛迪发生了任何异动，他都能打我手机，我们能立即赶回来。”

艾米感到很痛苦，但不情愿地答应了。“好吧，如果外公不介意的话。”

杰克正在厨房里准备早餐。她走进来时，他皱起了眉头。“你看起来忧心忡忡的样子，艾米。”他说，“一切都好吧？”

艾米把梅洛迪的情况讲给他听。“我真拿不准能不能离开它，但本真的想让我去看他比赛。”

“那你去吧，”外公立即说，“我会留意梅洛迪，一发现异常，我会立即给你打电话。”

他好像看出艾米神情犹豫不定。“不必担心，我也许没看过多少母马生产，但我见过许多母牛生产。就算出现最糟糕的情况，我也能应付紧急情况，等斯科特到。”

艾米依然拿不定主意，但在内心深处，她知道外公是对的。外公有多年给农场动物接生的经验。如果发生了什么事，他会知道该怎么做。“谢谢，外公，”她说，“我会告诉本，我跟他一起去。”

苏拉娅八点半到了。“你好！”艾米喊道，从杰克的马厩里走出来。

“嗨。”苏拉娅答道。她跟她的妈妈挥手道别后，跑过院子来见艾米。“有什么要做的吗？”她问道，并把包扔到了地上。

“一大堆事情要做，”艾米说，“院子里的马厩要打扫，所有的马都要梳洗，还要牵梅洛迪出去散散步。我们得努力了，因为本在忙着给瑞得梳洗和编辫子，我们两点钟出发去参加比赛。”

苏拉娅立即找来一把干草叉，开始帮助艾米整理外公的床铺。“本这会儿在哪里？”她问道。

“在马厩里。”艾米答道，她想起早上他干活匆匆忙忙的样子，“我觉得他有点儿紧张。”

就在这时，本来到马厩里。“牲口棚里的马厩都打扫干净了，”他对艾米说，“我现在去给瑞得编辫子没关系吧？”

“当然了，”艾米说，“苏拉娅和我会打扫完这里的马厩。”

“太好了。”本说着快步走开了。

“他看起来的确很紧张。”苏拉娅低声对艾米说。

艾米看着本走进了马具室，点了点头。她真希望今天他一切顺利——无论是在比赛场上，还是和他妈妈的关系。

第九章

两点钟，艾米、苏拉娅和本将瑞得装进了拖车，他们也坐进了汽车。外公从房子里走出来，跟他们挥手道别。

“祝你们好运！”本发动引擎时，他喊道。

艾米朝后排牲口棚和梅洛迪的马厩看了一眼，她不愿意离开它，但她相信外公。

他们达到赛场时，比赛还有一个小时才开始。本小心地开着拖车，从到处乱转的大小马匹中穿行，终于找到一个停车的安静角落。“我去登记。”他说着跳下了车。

“要我们帮你把瑞得牵出来吗？”艾米问道。

本点了点头。“好的，谢谢。”

苏拉娅放低斜板，艾米走进了拖车。斜板放下时，瑞得发出一声犀利的嘶鸣。他脖子上的肌肉都兴奋地绷紧了，它在艾米身旁蹦蹦跳跳地走出了拖车，头昂得高高的。

艾米抓住它，苏拉娅解开了它的腿和尾巴上的保护带，它兴奋地往侧边走。

“我想我们最好带它走动一下，帮它平静下来。”艾米说，瑞得脖子上的汗水濡湿了一块块深色皮毛。

“你认为艾什莉会在这里吗？”她们给瑞得戴上马笼头时，苏拉娅问。

“也许。”艾米说。想起这个人，她就立即拉长了脸。艾什莉·格兰特漂亮又有钱，是她们的同班同学。她父母有一个养马的牲口棚，名叫绿石南，艾什莉很早就开始每周末参加比赛。她骑的大小马匹都很昂贵，也都受过高等训练。她和艾米经常在大马驹猎马级比赛中竞争，令艾什莉沮丧地是，桑旦斯经常夺冠。

当艾米和苏拉娅牵着瑞得在赛场行走时，并没有看到艾什莉或她家人的身影。

她们刚开始给瑞得套马具，本拿着号码回来了。

“好了，”他说，“比赛准时开始，我现在就要给它热热身了。”

“它相当兴奋。”苏拉娅说。

“每当它来参加比赛，都很兴奋。”本说着拍了拍瑞得闪亮的脖子，“它喜欢比赛。”他低头看着自己的牛仔服，“我也需要去换身衣服，”他说，“你们俩能帮我再照看它一会儿吗？”

艾米点了点头说：“遵命，你想让我们干什么，我们就干什么。”

当本走进他拖车的住舱时，苏拉娅忍不住咯咯笑。“这可是你说的！”

艾米把给瑞得梳洗时要穿的靴子朝她的朋友扔去。“穿上！”她咧嘴笑道，“别在那里做白日梦了！”

五分钟后，本从拖车里出来了，艾米恨不能把苏拉娅

的嘴巴合上，她张得那么大。本身上的牛仔裤和马厩外套不见了，取而代之的是洁白无瑕的白马裤，长筒皮靴，和包裹着他宽阔肩膀的一件裁剪漂亮的黑色赛服。就算本不是艾米喜欢的类型，她也不得不承认，他看起来十分迷人。

好像完全没有注意到她们的反应，本大步朝瑞得走去。“谢谢你帮我给它戴好马具。”他说着拿起缰绳。

“不必客气。”艾米说，这才意识到苏拉娅花痴得连话都说不出来了。

本翻身上马。“我要去热热身了。”他说。

艾米和苏拉娅目送本骑马走开了。瑞得欢蹦乱跳，光滑的栗色皮毛下清晰地显露出它结实的肌肉，本毫不费力地坐在马鞍里。他们看起来是完美拍档。

“哇哦！”苏拉娅轻呼道。

艾米咧嘴笑了。“来吧，我们过去看看。”

她们在训练场的一侧找到了一个空位，看本开始训练瑞得。训练场上一片繁忙，各色大小马匹往四面八方慢跑，几个训练员站在场地中央吆喝着口令，但本找到了一个相当安静的角落，开始训练瑞得。

苏拉娅突然用手肘捅了捅艾米。“艾什莉在那边！快看！”

艾米扭头望去。艾什莉·格兰特骑着一匹漂亮的枣红色猎马小跑进了训练场。她长长的淡银灰色头发向后梳成了一个辫子，她做工精良的深蓝色赛服突出了她高挑苗条的身材，唯一破坏这道风景的是她脸上的怒容。

“走开！”她对一个准备跳训练障碍物的小女孩厉声呵道。骑着她那匹枣红色猎马，从女孩那匹灰色马驹身边冲过，慢跑向那道障碍，那匹枣红大马飞跃过障碍物，乌黑的皮毛像红木古董一样闪闪发亮。艾什莉得意洋洋地笑起来，好像完全知道自己的样子有多帅气。

“她怎么总有那么可爱的马？”苏拉娅说，“这真不公平。”

艾米点了点头。尽管她的桑旦斯千金不换，但艾什莉的确骑的都是最好的马。那个时候，艾米真希望能把桑旦斯带来，这样她至少能想办法抹去艾什莉脸上目空一切的表情。

就在这时，艾什莉转身看到了她们。“噢，不！”眼看着艾什莉调转马头，朝她们慢跑过来，艾米低声呻吟道，“她过来了。”

艾什莉在她们几米开外停了下来。“你们俩在这里干什么？”她质问道，好像她们没权力到赛场上来。

“你认为呢？”艾米反驳道。

“好吧，你显然不是来参赛的。”艾什莉说，一双碧眼轻蔑地扫视着她们身上的马场工作服，“你不可能穿成这样来参加比赛，艾米。”

艾米还没来得及回答，本就骑着马小跑过来。“你们能帮我牵下瑞得吗？”他对艾米和苏拉娅说，“我想去看看跑道。”他好像这才突然注意到艾什莉。“噢，对不起，”他迅速说，“我不是有意打断你们的。”

“你没有打断什么。”艾米尖刻地说。

“我们当然能牵住瑞得。”苏拉娅说着跳过篱笆墙。

艾什莉看着本，打了声招呼，“嗨。”唇角勾起一个弧度，露出狐媚的笑，“我想我们之前没有见过。我叫艾什莉·格兰特，你是……”

“本·斯蒂尔曼。”本说着翻身下马，“我在赫特兰德马场工作。”他伸出手，“见到你很高兴，艾什莉。”

“我也是。”艾什莉答道。

“好吧，我最好动身去看看跑道了。”本说，“稍后见。”

“一定。”艾什莉咕噜道，发出喉音，他走开时，跟他微微招了招手。

艾米朝苏拉娅望去，看到她在检查瑞得的绑带，紧咬着嘴唇。

“艾什莉！”一个声音怒吼道。艾什莉猛转身，她的妈妈瓦尔·格兰特正快步穿过人群，朝她走来。她下巴方正，一脸不悦。“你在干什么？”她喊道，“你该去给黄金时代热身了。”

艾什莉猛地转身面对艾米和苏拉娅。“那再见了。”

她冷冰冰地说，骑马离去了。

“你敢相信吗？”她一走远，苏拉娅就喊道，“你看到她怎么跟本调情了吗？”

艾米点了点头。“但他似乎并不感兴趣。”她快语道。

“我想也是，”苏拉娅叹息道，“我只希望他对我感兴趣。”

十分钟后，本看完跑道回来了。“怎么样？”艾米问道。

“还行。”本答道，并瞟了一眼手表。

“你妈妈说她什么时候来？”艾米问道，猜到他心里在想什么。

“三点半，”本短促地说，“都过去十五分钟了。”

“我相信她一定会来的，”苏拉娅安慰他说，“她也许被什么事耽搁了。”

“要不就是她决定不来了，”本生硬地说，重新坐在马鞍上，“我最好让瑞得运动一下——我们排在第五个。”没再说什么，他骑马走开了。

艾米目送他骑马小跑回训练场，眼神在人群中巡视。请让他妈妈一定及时赶到，她绝望地想。

扬声器噼啪一声响起来，宣布高级赛马预赛即将开始。

“有没有布？我们在瑞得入场前给他擦擦。”苏拉娅突然问。

艾米摇了摇头。

“我去拖车拿一块来。”苏拉娅说。她匆匆穿过人群和马群。

艾米环顾四周，希望本的妈妈赶紧出现。在训练场，本调转瑞得朝一个训练障碍跑去，但他似乎精神涣散，瑞得的前腿碰到了上面的栏杆，发出咔嗒一声响。艾米庆幸可以过去，便从篱笆中间的缝隙钻了进去，走进训练场，把跳障扶了起来。

“谢谢。”本说，面色令人生畏。

避开奔跑的马匹和叫嚣的训练员，艾米往回朝篱笆走去。她看到本试着让瑞得以八字步慢跑，但这匹马似乎感觉到了主人的紧张，扬起头，用力拉着缰绳。

“请381号入场。”扬声器大声宣布。

“本！”艾米喊道，“还有两个就轮到你了。”

本骑着瑞得朝她走来。尽管天气寒冷，这匹栗色马却大汗淋漓，激动地甩着头。

就在这时，苏拉娅出现了。“我拿了一块布过来，我们给它从上到下擦一擦。”她主动提出。

那个瞬间，本的神情放松了。“谢谢，苏拉娅。”看到苏拉娅开始擦瑞得腹侧的汗印，他说。

“不用客气。”苏拉娅说，抬起头笑吟吟地望着他。

本看着她们俩。“谢谢你们俩今天能来，有你们为我加油，真是太好了。”

艾米听到他声音里有强烈的怒意，意识到他在想他的妈妈。

扬声器又响了。“381号有四个失误，现在请382号入场。”

“你最好到等候区去。”艾米飞快地说。

本点了点头，拿起缰绳。

本朝前走时，一个声音喊道——“本！”

本猛地转身。“妈妈！”他喊道。

一个女人穿过人群，匆匆朝她们走来。披在她肩头的金黄色浓密秀发和本的一模一样，她蓝色的眼睛就是他的翻版。

“我在路上被耽搁了。”她喘着粗气说，“我以为我赶不上了。”

“好吧，反正这又不是第一次，”本说，声音突然变得冷漠起来，“我想，是工作上发生了什么事吧？”

“工作？”朱迪·斯蒂尔曼说，吃惊地看着他，“我告诉过你，我取消了今天的会议。是大雪，这里的雪下得很大。”

“下雪了！”苏拉娅喊道。

就在朱迪·斯蒂尔曼点头的时候，扬声器响起来了。“请384号到等候区，384号。”

“本！是你！”艾米喊道。

本似乎迟疑了片刻。

“去吧，”他的妈妈说，“我们稍后再谈，我很想看你比赛。”

艾米看到本脸上的紧张感消失了。

“384号！”扬声器说。

本放松了缰绳，瑞得朝前冲去。

“祝你好运！”苏拉娅兴奋地喊道。

本在马鞍上转身。“谢谢！”他喊道，接着骑着瑞得朝等候区慢跑过去。

“我是艾米·弗莱明。”艾米意识到她们还没有自我介绍，于是对斯蒂尔曼夫人说，“这是我的朋友苏拉娅·马丁。”

“朱迪·斯蒂尔曼，”本的妈妈说，“见到你们很高兴。我真的以为我到不了这里了。”

“我们最好去赛场，”苏拉娅快语道，“不然就要错过本的比赛了。”

他们匆匆朝室内赛场的观景走廊走去，各自找到座位坐了下来。

“第一轮，开始！”播报员播报，在一阵掌声中，本前面的那位骑手走出了赛场，“现在，有请384号选手，本·斯蒂尔曼，他的赛马名叫‘好运’。”

“他出场了！”艾米喊道，一把抓住苏拉娅的胳膊。

本骑着瑞得慢跑进了赛场。他看起来很平静，注意力很集中，他无声地蠕动着嘴唇，轻轻对马说话。瑞得的自信不亚于自己的主人。艾米双手合十，默默祈祷。他们一定成功。

比赛开始的铃声响起，本调转瑞得，朝第一个障碍物跑去，那是一个坚硬的绿白色相间的障碍栏。艾米坐在座位上，身子往前探，那匹栗色马很快就跑到了障碍前。她感觉好像是自己在赛道上奔跑，好像她能感觉到瑞得迈出的每一步。本让瑞得完美起跳，他的前腿利索地往上抬起，瑞得飞跃了过去。

接着，他骑马朝一道大门慢跑过去。他也飞跃了过去，接着是立柱、一堵墙、红蓝二连障、又一个障碍栏，最后朝三连跳的障碍跑去。当他接近三连跳的起跳线时，艾米屏住了呼吸。“继续！”她低声道，她知道只要他跳过这最后一道组合栏，他就能进入全国马术障碍锦标赛附加赛。“继续！”

瑞得从第一道上跳了过去，没有碰栏。他似乎迟疑了一下，但本坐在马鞍上催促它前进，只一大步，它就跳过了第二道。当它接近第三道时，它似乎又迟疑了，但本继续催促它前进，瑞得做出了响应，连迈出干脆利落的两大步，跳过了最后一道障碍。

“太好了！”观众席中爆发出雷鸣般的掌声，艾米和苏拉娅开心地喊道。

“本·斯蒂尔曼骑着‘好运’漂亮地跳过了这一轮，没有任何失误。”播报员说，声音盖过了掌声。

艾米开心极了。“他进入了附加赛！”她对本的妈妈喊道。

朱迪·斯蒂尔曼的眼神里闪耀着自豪的光芒。“他实在太棒了！”

苏拉娅跳站起来。“我们去找他！”

她们迅速走到场外。本已经下了马，正在拍瑞得，好像他想这样永远拍下去。

艾米朝他跑去。“你完成得太漂亮了！”她惊叹道，也拍了拍这匹栗色马。

“它是不是超级棒？”本对她说，双眼里闪耀着喜悦，“它一个都没有碰到。”

苏拉娅走到他们身边。“加油，本！”她喊道。

此情此景，本情不自禁地拥抱了她。“我们进了附加赛，苏拉娅！”他喊道。

当本拥抱苏拉娅时，艾米看到了她的脸上露出震惊的神情。然而，很快就被欣喜若狂的微笑所取代。“你太棒了！”苏拉娅惊呼道。

“噢，本。”

听到妈妈的声音，本松开了苏拉娅，转过身来。朱迪·斯蒂尔曼正站在他的身后，眼中闪动着喜悦的泪光。

“我真为你感到自豪！”她说。

“真的吗？”本说，突然皱起眉。

朱迪·斯蒂尔曼吃惊地看着他。“当然了！我怎么能不？这场比赛你表现太棒了。”她凝视了他片刻，然后摇了摇头，“本，你为什么坚持说我不在乎？”

“也许是因为没有太多证据证明你在乎。”本说。

“这不是真的，本！”朱迪反驳道。

“是吗？”本说，声音突然变得冷酷，“我记不起你来看过我几次比赛。”

“当然不是！”朱迪坚持道，“我知道过去的八年，对你来说很艰难，但你得相信我，我所做的都是我认为对你来说最好的。”

本苦涩地哈哈大笑。“包括放弃我，把我扔给丽萨？”

“抛弃你？”朱迪反问道，“我每周末都来看你了。”

“是的，刚开始是这样。”本说。

朱迪朝他走去。“你认为我不想来？”她激动地说，“本，我后来来得少，是因为我似乎让你很烦恼。你几乎不跟我说话，似乎不想看到我。我跟丽莎商量过，我们最后决定，也许我最好给你一些空间，让你安顿下来。”

艾米看到本眼中的困惑。“但你总是说因为工作。”他的语气虽然依旧愤怒，但似乎有点儿不确定了。

“那不过是个借口，”朱迪说，“我不来，总不能不找个借口。我觉得这样一来，能让我感觉好受些，这样一来……”

本看起来很困惑。“我一直认为你是因为工作，我以为工作比起我对你来说更重要。”

朱迪睁大眼睛看着他。“本，没什么比你对我来说更重要，”她惊呼道，“我之所以拼命工作，是因为我的生命中再没有其他。”她的声音突然颤抖了，“你是生命赐予我的最好的礼物。你是我的儿子，我爱你！”

空气中出现了片刻的沉默。慢慢地，本脸上的困惑消失了。“我不知道，妈妈！”他轻声说，“我真的不知道！”

朱迪张开手臂。本略一迟疑，他们紧紧拥抱在了一起。

艾米和苏拉娅咧嘴相互开心地笑了。

妈妈和儿子拥抱了很长时间。这一刻最终被瑞得的马蹄踏地声打断了。

“我想瑞得在说它想要一些关注。”朱迪微笑着离开了本的怀抱。

本点了点头。“嫉妒了吧，小子？”他说着拍了拍这匹栗色马，

瑞得也甩了甩头。

“来吧，我们把你送回到拖车里去。”本微笑道，“在参加下一轮比赛之前，你需要休息一下。”

有十匹马进入了附加赛。“这么说，跑得最快的会赢？”本等候入场时，朱迪问。

“最快而且扣分最少的胜出，”本解释道，“但我不打算催促瑞得。它还小，我宁愿让它干净利索地跳完这轮，也不愿意让它为了速度而碰倒许多障碍。等它积累更

多经验，有大把的时间让它提高速度。它能进入附加赛，我就已经很高兴了。”

艾米微笑地看着他。她讨厌看到人们催促那些还没有准备好的小马，这经常导致马撞翻障碍，弄伤或吓坏自己。

排在本前面的那匹马慢跑出了跑场。“祝你好运！”艾米和苏拉娅喊道，然后和朱迪一起回到观众席，找寻自己的座位了。

瑞得走进跑场，看到障碍物就甩了甩头，喷了喷鼻息，显然很兴奋，但本遵守了自己的承诺——先稳住它，然后再指导它快速而小心地完成这一轮，确保不撞翻障碍。瑞得竖起耳朵，慢跑出了赛场，眼神无比自信。

“这正是我想要的结果。”当她们匆匆赶去祝贺本时，本开心地对她们说。

“太棒了！”艾米兴奋地喊道，从口袋里掏出一块薄荷糖喂给了瑞得。

即使这样，瑞得也赢得了第三名的黄丝带。没有撞翻障碍物的除了瑞得之外，只有另外两匹马，其他跑得快的都撞翻了障碍，因此都扣了分。艾米、苏拉娅和朱迪骄傲地观看着本骑着瑞得走进跑道，去接受黄丝带。当本骑着瑞得和其他六名获奖选手绕着跑道走最后一圈时，艾米从来没有看到他这么开心和自信过。

她开心地转向苏拉娅，“多么完美的一天啊！”她说。

他们解开瑞得身上的马具，让它做好回程准备时，艾米这才惊觉天变得有多冷。她的呼吸凝固在了空气中，赶紧系了系瑞得腿上的绑带。天空飘落下几片雪花，落在绑带上。

“你最好赶快出发，”朱迪说，帮助本收拾好了马具，“雪是从北方来的，天气预报说稍后会下得更大。”

“您准备怎么办，妈妈？”本问道。

“我原本计划回家，”朱迪说，“但看这天气，也许最好找个地方过一晚。”

“你可以去我那里住，”本飞快地说，“我那里很简陋，但有一张折叠床。”

朱迪微笑地看着他。“听上去很不错，那我跟你回去。”

把瑞得装进拖车没有用多少时间，艾米、本和苏拉娅爬上了汽车，天已经变黑了。“希望趁着雪还没有下大，我们能赶回去。”艾米说，抬头看着不祥的厚云，本发动了引擎，雨刷在挡风玻璃上来回摆动。

“路程不远。”本说。

“雪下得还不大，”苏拉娅冲本微笑着，“瑞得在附加赛中的表现真是太出色了。”

本和苏拉娅开心地聊着瑞得，而艾米则望着雪花从黄昏的天幕往下坠落，想起了梅洛迪。外公没有打电话过来，这一定说明那匹母马很好。艾米感到如释重负，如果今晚下大雪，他们最不希望发生的就是梅洛迪要生产。到了晚上，农场上的车道在厚厚的积雪中根本无法通行。

他们开车往北朝赫特兰德马场驶去，朱迪开车在后面跟着，雪下得更大了，马路边的积雪显然变得更深了。他们终于开上了通往农场的车道，卡车的轮胎在冰冻的积雪中碾出吱嘎声。

“看起来我们回来得很及时。”本说。

他们刚刚把车开进院子，农场的房门就开了，外公走了出来，看到他们，他松了一口气。“我正要给你打电话，”他说，“我很担心这样的天气你们能不能回来。”

“我们快到家的时候，雪才开始下得更大。”艾米说。

“嗯，至少你们现在回来了，”外公回答道，“我喂了马，也给它们包了毛毯，我在瑞得的马厩里，为它准备了一份饲料。”

“谢谢，外公。”艾米感激地说，“梅洛迪怎么样了？”

“还好，”外公转向苏拉娅，“你妈妈打过电话过来了，”他说，“我想你最好给她打个电话，告诉她你已经平安回来了。”

“好的。”苏拉娅说。

“我送你回家。”苏拉娅朝房子走去时，本喊道，

“省得你妈妈出来接。”

苏拉娅微笑地看着他。“噢，这实在太好了！”

朱迪的车也到了。“这是本的妈妈，”艾米给外公介绍，“她今晚和他一起住。”

“见到您很高兴。”朱迪微笑地对外公说。

“本还要去安顿一下瑞得，你要不要进来等会儿呢？”外公发出邀请。

艾米帮助本放下了瑞得，把它安置到马厩里。“我来解开它的辫子，”艾米提出，“趁着雪还没有下得太大，你赶紧出发吧。”

“你确定吗？”本问。

“当然了，没问题。”她答道。

本朝瑞得走去。“再见了，大家伙。”他柔声说，“你今天是最棒的。”这匹栗色马喷了喷鼻息，用头蹭了蹭主人的胸膛。本揉了揉它的额头，接着转身微笑地望着艾米，“谢谢你帮我。”

“不用客气，”艾米说，“明天见。”

当苏拉娅、本和他的妈妈坐进车里时，艾米向他们挥手道别，接着回到了瑞得的马厩里。她刚解开第一条辫子，外公就端着一碗鸡汤走过来了。“来吧，”他说，“你肯定饿坏了。”

“谢谢，外公！”艾米感激地接了过去。她捧着热乎乎的杯子，感受着里面释放出的温暖。因为戴着手套没法解开辫子，她的手都冻僵了。

“比赛怎么样？”外公问道。

艾米把瑞得的成功、本如何和他妈妈重归于好的事告诉了外公。“他们终于冰释前嫌了。”她咧嘴笑道。

“这太好了，”外公静声说，“再没有什么比家庭不和更糟糕的了。”艾米听到他语气中的悲伤，知道他在想卢。

“卢……卢今天怎么样？”她试探地问。

“晚上大部分时间，她都待在自己的房间里，”外公说，“不过开始下雪的时候，她倒是出来帮我喂马了。”

“真高兴。”艾米颇受鼓舞。

“噢，但她没有跟我说过一句话。”外公叹了口气，“她整天不跟我说话。”他突然看起来又老又累，“我要去做晚餐了，别在这里待太久。”

艾米目送他离去，比任何时候都希望她能做点什么，来解决他和卢之间的矛盾。

给瑞得解开辫子后，艾米把他的马鬃梳顺了，然后让它好好休息。她把所有的马都检查了一遍，然后朝房子走去。晚餐时间，卢只待了很短的时间，甚至跟艾米都不怎么说话，碗碟一洗完就又回了自己的房间。艾米和外公坐在温暖的厨房里看电视，外面依然下着鹅毛大雪。

五点了，艾米懒洋洋地从椅子上站起来，“我要再去检查下梅洛迪。”她对外公说。

“她肯定没事。”杰克答道。

但艾米知道她只有确认了才会放心。她穿上了靴子和厚重的外套，戴上手套，走到户外。雪花在她的周围飞旋，刺骨的寒风拍打着她的脸。她冷得簌簌发抖，在厚厚的积雪中艰难地前行，朝后排牲口棚走去。

雪花堆积在牲口棚门外，她不得不拿来一把铲子清理掉。她用了好大的力气才推开门，跌跌撞撞地走进温暖的牲口棚。她轻松地叹了口气，关上了身后的门，摸索着电灯开关。灯光照亮黑暗时，她听到几声吃惊的闷哼和马厩里传出的窸窣声。

艾米匆匆走过过道。“你好吗，姑娘？”她从梅洛迪的马厩门往里望，问道。

然而话语凝结在她的唇上。梅洛迪站在马厩里，低着头，摇动着尾巴。腹侧一块块皮肤全被汗水濡湿了。这时，它呻吟了一声，跪倒在地上。艾米看到浓稠的液体从梅洛迪的尾巴下面冒出来，艾米倒抽了一口冷气。这匹母马要生产了！！

艾米忘记了寒冷，转身朝走廊跑去，跑出牲口棚，在雪地上盲目地跌跌撞撞。

“外公！”她喊道，冲进了厨房里，“快来！梅洛迪要生了！”

第十章

艾米话还没说完，外公就站了起来。“什么？现在？”他喊道。

“是的！”艾米喘着粗气说，“我看到有液体从她的身体里流出来。”

外公大步走进大厅。“卢！”他喊道，“出现紧急情况了。”他开始穿外套，戴帽子，“接生工具在哪里，艾米？”

“在马具室，”艾米说，“我要去给斯科特打电话吗？”

外公还没来得及回答，卢就跑进了厨房。“怎么了？”她问道，眼神从艾米身上转移到外公身上，“发生什么事了？”

“梅洛迪早产了，”外公说，朝门走去，“你能跟斯科特联系上吗？我和艾米一起去马厩。”

卢抓起电话，她一心只想着帮忙，显然把和外公的争执抛到了脑后。她按下号码，问道：“我还需要做什么？”

“烧点儿热水，送到马厩来。”外公说。

“行。”外公大步走出去时，她点了点头。

艾米追上他，一起在暴风雪中艰难前行，只在马具室略作停留，拿出接生工具。

“我希望是正常生产。”他们再次走进暴风雪中时，外公喊道，“这样的天气，斯科特很难到达这里！”

艾米的心跳得更快了，觉得快要蹦出来了。“来吧，外公！我们得抓紧了！”她说。

他们到达了牲口棚，里面的电灯像灯塔一样把光亮照进了黑暗里。艾米跑过走廊，抱着接生工具，工具顶在了她的肋骨上。她能听到外公紧跟其后。

“它还没起来！”她惊叫道，外公跟上她，来到梅洛迪的门前。

这匹栗色母马正躺在麦秸里，痛苦地呻吟，它的身体两侧因为新的一波子宫收缩而上下起伏。艾米伸手去摸门闩，但被外公制止了。

“我们最好待在外面，”他低声说，“动物生产的时候不喜欢被打扰。如果我们进去，也许会惊扰它。如果这是正常生产，那我们最好让它自己来。”

艾米看着梅洛迪的臀部，从中流出了更多浓稠的液体，她能看到梅洛迪尾巴下小马驹身上覆盖的羊膜。

“前蹄出来了，”外公说，朝羊膜点了点头，“这是个好迹象，小马驹的胎位肯定是正常的。”

艾米更仔细地看，发现外公说得对，透过羊膜的保护，能看到两个小小的马蹄。

梅洛迪的身体两侧再次起伏，前蹄和前腿又滑出了一些。

“我们很快就能看到鼻口了吗？”艾米问道。

外公点了点头。“鼻口应该靠近前腿。”

他们看着梅洛迪继续收缩，但什么都没发生，根本没看到鼻口。梅洛迪痛苦地呻吟。

“发生什么了？为什么头没有出来？”艾米焦急地问外公。

杰克摇了摇头。“我也不知道。”他的额头突然皱起，“但愿不是胎位不正。”

“什么意思？”艾米快语问道。

“也就是说小马驹在母胎中的姿势不正确，”杰克解释道，“要不是头往后折到后背上，就是卡在前腿间。小马驹卡住了，生不出来。如果是难产，梅洛迪就需要人帮助。”

就在这时，牲口棚的门开了，卢端着一桶盖好的热水匆匆走了进来。

“你联系上斯科特了吗？”外公问道。

“联系上了，”卢答道，匆匆朝他们走来，“但他说这附近的路都堵住了，他之前就接到一个外出电话，但他根本去不了。”

艾米的眼神飞快转到外公的脸上，“那我们怎么办，外公？”她问道。

“我得去看看到底是什么阻碍了生产。”外公迅速说。他耸耸肩，抖落了外套，开始从装接生工具的木桶中拿出工具。“你能帮我找到消毒肥皂吗，艾米？”

“发生什么事了？”当外公往装接生工具的木桶倒热水，开始用肥皂清洗手和手臂时，卢问道。

“外公认为小马驹被卡住了。”艾米说，她焦急万分，差点儿话都说不出来了。

“这很严重，不是吗？”卢问。

外公点了点头，走进了马厩。“没事的，姑娘！”他对这匹母马轻声地说。听到他的脚步声，梅洛迪扭过头来，双眼睁大了，惊恐不已。随着他的靠近，它开始挣扎着站起来。杰克迅速往后退。“我想，如果我靠得太近，它会害怕。”他说。

“我来抓住它。”艾米说。

“它也许不让你靠近，”杰克说，“它现在这么痛苦，没办法理智思考。”

“让我试一试。”艾米说。

她看到外公点了点头，于是快步走进马厩。听到麦秸的窸窣声，梅洛迪把头往空中甩。“没关系，是我。”艾米小声说。

梅洛迪的头依然扬得高高的，但它没有试图站起来。艾米慢慢靠近时，它的耳朵竖了起来。

“现在，放松。”艾米喃喃道。她跪倒在这匹母马的肩膀旁，开始用手指在梅洛迪湿滑的肌肤上迅速打小圈。尽管她迫切地希望外公能尽快找出难产的原因，但她还是竭力控制手上的动作。

“你得让我们帮你。”艾米一边做着动作一边柔声说。慢慢地，她感到这匹母马开始放松。她的手指慢慢往上，抚摸过梅洛迪的脖子，朝它的脑袋和耳朵挪去。她一边给母马按摩，一边转过身来，直到她正面跪在这匹母马的面前。梅洛迪叹了口气，把鼻口靠在了她的大腿上。

“我想它现在没事了。”艾米柔声说，扭头朝站在门边的卢和外公望去。他们俩都面色苍白，看起来很着急。

重新擦洗手和手臂后，外公轻轻地走进了马厩里。梅洛迪不安地闪动着眼神，但它没有动。艾米竭力让自己的呼吸保持平稳，因为她知道，只有这样，才能帮助这匹母马保持平静，艾米开始在梅洛迪的耳朵上打小圈，她用手指抚摸着它，给它安慰。

外公轻轻走近了，蹲在麦秸里，他把手臂塞进了这匹母马体内。他摸了几秒钟，接着开始沉默。

“到底是什么原因，外公？”卢飞快地问道。

“正是我所担心的——小马驹的头向后卡在了身体侧边，”外公说。他站起身，走出马厩去洗胳膊。“在产道里被卡得死死的。”

“那我们该怎么办？”卢问道。

外公面色严峻。“我们需要把它的头转过来。问题是，卡得太靠里了，我够不着。”艾米看到他脸上印着深深的担忧。“我得给斯科特打电话，看看他有什么建议。”

他匆匆走出牲口棚。艾米看着姐姐。“噢，卢，会发生什么事呢？”她说。

“我不知道，”卢答道。她环视四周，“我去把麦秸铺好，怎么样？”她问道，“我想我们应该尽量让它的床铺保持干净。”

艾米点了点头。“你想让我帮忙吗？”

卢的眼睛闪向梅洛迪。“不，你待在那里。”

她安静地干活。梅洛迪再次呻吟起来。

艾米感到自己快要哭了，她亲了亲这匹母马的脸。“会没事的，”她小声说，“一定会！”

她们听到牲口棚的门开了，外公出现在门口。“斯科特怎么说？”卢飞快问道。

杰克神情严肃。“我们一定要把小马驹的姿势调整过来。”他说。

“但你不是说够不着吗？”卢问。

“没有其他选择，”杰克严酷地说，“如果我够不到它的鼻口，把它调转过来，那梅洛迪和小马驹都会死。”

艾米感到自己的脸上血色全无。“死？”她小声问。

杰克点了点头。“斯科特不可能过来，”他再次脱掉外套和衬衣，“我们得把小马驹弄出来。”

艾米听到他把手臂再次放进木桶里的声音。

梅洛迪的腹侧在收缩，一声啜泣涌上来，艾米忍住了。求你了，千万别死，看到这匹母马眼中的痛苦和悲伤，她暗自祈祷。

外公走进马厩，再次把手臂插进了梅洛迪的体内。

艾米逼迫自己集中精神，按摩这匹母马的耳朵，帮助它放松。然而，此时此刻，梅洛迪似乎也顾不得外公了。它呼吸粗哑，脖子上汗流如注。

好像过了一个世纪那么漫长，杰克挣扎着去抓小马驹的头。“我抓不到，”他喘着粗气说，“只要我的小指能勾住它的嘴，就有可能把它的头转过来，但我够不着。”

“继续尝试，外公。”卢站在马厩外说，眼睛惊恐。

艾米焦急地看着梅洛迪，这匹母马开始变得无力了。要是时间来不及该怎么办呢?

“没用！”外公说，又过了五分钟。

“您不能放弃！”艾米说。

“我已经尽力了。”杰克绝望地说。

卢瞬间走进了马厩，“您能做到的，外公！”她催促道，跪倒在他身旁，“我知道您一定能！”

杰克深吸了一口气，再次把手往梅洛迪体内深处伸去。他努力去抓小马驹的鼻口，脸上的肌肉都扭曲了。

“继续。”卢小声鼓励。

艾米看到外公做出了巨大努力，肌肉鼓了起来。“我抓到了！”他突然喘着粗气说，“我摸到它的鼻口了。”

艾米屏住呼吸，当外公艰难地把小马驹的头一点点转过来时，希望流遍了她的全身。他能做到吗?

她把头垂到梅洛迪的头上。“求你了，请你务必，务必，”她疯狂地祈祷，“务必平安无事。”

“转过来了！”外公突然惊叫一声，向后瘫倒在麦秸上。

“我看到它的鼻子了！”卢惊呼道。这匹母马的腹侧上下起伏，“它的整个头出来了！”

“梅洛迪累了，它需要帮忙，”外公说，挣扎着站起来，“卢，帮我一把。我们要在它用力的时候抓住球节（生距毛处）上面的前腿，帮它拉。”

卢照他说的做了。又一阵收缩袭来，梅洛迪的腹侧颤了颤。

“现在，开始拉！”外公喊道。

艾米看到他们俩用力拉时，面露苦相。她憋气憋太久了，都感到快要晕过去了。

梅洛迪痛苦地呻吟。

“出来了！”外公喘着粗气说，“拉，卢！”

突然，小马驹湿滑的身体溜了出来，落在麦秸上。

艾米的心跳几乎停止了。“死了吗？”她小声问，不知道该为小马驹出来了而感到如释重负，还是被它一动不动而吓呆。

外公弯下身去检查，小心不要弄断连接小马驹和梅洛迪之间的脐带。他检查时，艾米看到小马驹的耳朵竖起来了，头动了。

“是活的！”她喊道，火热、甜蜜的轻松感如浪潮般席卷了她的全身。

“噢，外公！”卢喊道，张开双臂抱住了杰克。

他开心地咧嘴笑了。“虽筋疲力尽，但终于活着。”他说。

马厩里的紧张气氛融化了。外公站在那里双臂抱着卢，而艾米则抚摸着梅洛迪的脸，他们看到小马驹开始在麦秸上动了。这太好了。这是一个小小的栗色梅洛迪的翻版，额头上有块白斑。它先睁开眼睛，接着挣扎着将胸部抬起，它的腿在依然包裹着它身体的胎膜中打滑。它挣扎踢腿的时候，脐带断了，小马驹呼吸了第一口真正意义上的新鲜空气。

外公从接生工具箱中拿来碘酒、药棉和抗生素粉，趁着小马驹还躺在地上，迅速清理了脐带。

“是匹小雌马，”他面带微笑地说，“一个小姑娘。”

艾米突然感到梅洛迪的鼻子在她的大腿上移动。这匹筋疲力尽的母马抬起头环视四周。当她看到小马驹时，耳朵竖了起来。艾米迟疑了片刻，接着走开了，她走到马厩门边，和外公、卢站在一起。

外公抱住她，他们看着这对母女第一次相见。

梅洛迪挣扎着站起来，用鼻子呼气，大声喷着鼻息，在这匹小雌马全身上嗅。这匹小马驹也向它喷鼻息，小小的鼻孔张得大大的，黏糊糊的耳朵笨拙地竖起。梅洛迪蹭着小马驹湿漉漉的脸，开始舔它身上的胎膜。

“它们在交流感情。”外公柔声说。

喜悦的泪水盈满了艾米的眼眶。“它们都存活下来了，我真不敢相信，”她说着转身面对外公，“这全是您的功劳。”

“是我们三个人的功劳。”杰克说，看着她和卢。

“是您把小马驹翻转过来的，外公，”卢说，“您是

没有放弃的那一个。”

艾米看到外公点头时，一种类似于悔恨的神情从他的脸上掠过。“我这个人向来固执。”他说。

一阵静默。“我想我们俩一样。”卢柔声说，抓住了他的手，“我为最近的行为向您道歉，外公。在我的内心深处，其实一直都知道您不想伤害我。但爸爸对我来说这么重要，我一想到他来过这里，而您却把他赶走了，我就受不了。”

“我知道，”外公说，“我真不该那么做。”他看着她们俩，“你们俩对我来说比什么都重要，”他说，“我不该把自己的感受放在你们的幸福之上。蒂姆是你们的父亲，这是你们的家。只要你们想，随时都可以邀请他到这里来。”他顿了顿，“你能原谅我吗，卢？”

“我只希望您能原谅我。”卢说着抱住了他的脖子，紧紧地。

艾米如释重负地深深叹了一口气。看起来争吵总算结束了。

“可怜的艾米，”杰克说，看着她，“我想过去一周对你来说日子很难过。你左右为难，对不对？”

“我很高兴一切都解决了。”艾米实话实说。并投入了他们的拥抱。“你们俩是世界上最顽固的人。”

外公和卢看着彼此，咧嘴笑了。

“好吧，除你之外。”卢说。

三个人全都笑了。“来吧，”他们分开后，外公说，“我们进屋去吧。梅洛迪和小马驹现在都没事了。”

“我想再多待会儿，”艾米说，瞟了一眼小马驹，“我想看到它站起来后再走。”

“好吧，”外公说，理解地点了点头，“但别去帮它，学会自己站起来，对它来说很重要。”

“我们稍后见。”卢说。

艾米靠在马厩门上，听到牲口棚的门在身后砰的一声关上了。她感到筋疲力尽，慢慢坐在了麦秸上，望着躺在那里的小雌马，它四肢细长，那么小，却完美无缺，额头上的白斑闪闪发光。只剩下一个问题等待解决。“我们该给你取个什么名字呢？”艾米小声说。

这匹小雌马望着她，乌黑的眼珠熠熠生辉。

梅洛迪轻声喷着鼻息，突然，这匹小马驹做出了站起来的第一个尝试。它伸出细长的腿，站到一半又砰的一声轻响，倒在了麦秸里。艾米渴望帮助它，但她知道外公说得对，这匹小马驹得自己学会人生的第一课。

一甩头，这匹小雌马又试了一次。它伸直了腿，撑住了，随着一声喘息，它站起来了，但摇晃了一下又倒了下去。

“来吧，”艾米低声鼓励，“你能做到的！”

这匹小雌马在麦秸上休息了几分钟，接着梅洛迪捅了捅它的腹侧。小马驹的腿又伸了出来。它顿了顿，脸上是坚决的神情，然后它挣扎着站了起来。它的腿站稳了，身子略微摇晃了一下，但这次它站住了。它就这么站了一会儿，微微摇晃。接着迅速摇了摇蓬松的尾巴，它不确定地朝前迈出了一步，把鼻口伸到梅洛迪的肚子下面。

梅洛迪蹭了蹭它的腹侧，这匹小雌马开始吃奶。

艾米笑了，把头向后靠在墙壁上，闭上了眼睛。今天过得真漫长啊，但幸好一切顺利。

几个小时后，艾米被惊醒了。她这是在哪里？她环顾四周，回忆如潮水般涌来。梅洛迪和小马驹平安无事。她们正躺在麦秸上，小马驹把头靠在梅洛迪的肚子上。看了看表，艾米发现已经凌晨六点了。她在马厩里睡了一整晚。

她四肢僵硬，慢慢站了起来。小马驹的眼睛眨巴着睁开了，它抬起头，小耳朵抽动了两下。

艾米站在那里一动不敢动。“没关系的，”她喃喃道，“就躺在那里。”

小马驹久久地凝视着她，接着叹了口气，把鼻口垂下了，又闭上了眼睛。

艾米蹑手蹑脚地走出马厩，轻声关上了门。白天有很多时间去和这匹小马驹混熟，她知道此刻梅洛迪和它的小宝贝需要休息。伸了伸麻木的肌肉，她朝牲口棚门走去。

她抓住门把手，做好准备迎接外面的暴风雪。然而，当她推开门时，万籁俱寂，她什么都没听到。

她走了出来，靴子踩进了深深的积雪中，发出吱嘎声。暴风雪已经停了。空气宁静，头上的夜空繁星点点。艾米关上门，深吸了一口干净冰冷的空气。寂静包围着她——浓密、深沉又静谧的寂静。

艾米环视着眼前赫特兰德马场的房屋和田野。一切都覆盖着一层厚厚的白雪，银装素裹。她朝东方望去，看到第一缕鱼肚白悄悄刺透了黑暗的天幕，突然，她想到梅洛迪的小宝贝该叫什么名字了。

“破晓。”她小声说。寓意新的开始，也是一个新生命的开始。